à Tiphaine, Lorine et Timothée...

Merci à Vanessa qui m'a supporté et assisté
ainsi qu'à Isabelle et toute l'équipe de Parigramme

Textes
Safia Amor

Illustrations
Philippe Bucamp

Petits Secrets des Grands monuments de Paris

PARIGRAMME Jeunesse

nord

ouest est

sud

Mode d'emploi

Les monuments sont présentés du plus ancien au plus récent. Les dates figurant sur le sommaire sont indicatives, car l'histoire de certains monuments est complexe et peut s'étendre sur plusieurs siècles.

Les mots indiqués en *italiques* suivis d'un astérisque* sont définis dans le petit dico qui figure à la fin de l'histoire de chaque monument.

Tu trouveras p. 94-95 des précisions sur les lieux cités : les adresses, les horaires d'ouverture et quelques exemples d'ateliers pour enfants.

**Si tu veux
en savoir plus**
Toute l'aventure de
l'installation de l'Obélisque
sur la place est racontée
sur le socle.

L'Obélisque
de la place de la Concorde

À tout seigneur, tout honneur : cette petite histoire des monuments de Paris débute par le plus ancien de tous, l'Obélisque : construit en 1250 avant Jésus-Christ, il est âgé d'environ 3 250 ans !

Une place toute neuve pour un roi bien-aimé

La création de la place est décidée en 1748, lorsque la Ville de Paris se propose d'offrir au roi Louis XV un cadeau original : une statue de lui-même ! Le temps de trouver le lieu idéal, de lancer un concours d'architectes, de choisir, aussi, le sculpteur et le modèle de la statue, il s'écoule plusieurs années. Finalement, la statue du roi à cheval est inaugurée en 1763. La place, qui s'appelle alors place Louis XV, devient un lieu de fêtes grandioses. Petit à petit, autour d'elle, s'édifient de beaux bâtiments. Les temps changent : c'est la Révolution, les rois n'ont plus la cote : la place devient un lieu d'exécution – Louis XVI et Marie-Antoinette y sont décapités. En 1795, elle prend le nom de place de la Concorde, nom qu'elle perdra plusieurs fois avant de le retrouver définitivement en 1830.

Pourquoi un monument égyptien au cœur de Paris ?

À cette époque, un architecte, Hittorff, est chargé de réaménager la place et le problème de sa décoration centrale se pose. Après la statue de Louis XV et une statue de la Liberté (rien à voir avec celle de New York) installée là en 1793, le roi Louis-Philippe veut élever un monument qui "n'éveillera pas les passions", étranger à l'his-toire de France. Quoi de plus étranger que cet obélisque égyptien ? C'est un énorme bloc de granit rose, haut de près de 23 mètres, pesant environ 230 tonnes. À son sommet, le pharaon Ramsès II est figuré quatre fois (mieux vaut quatre fois qu'une !), assis, présentant une offrande au dieu Amon-Ré. Chacune des quatre faces est ornée de trois rangs verticaux de hiéroglyphes célébrant le dieu égyptien Horus.

L'obélisque provient du temple de Ramsès II à Thèbes. Il fut offert par le vice-roi d'Égypte Méhemet Ali, en 1831. Ce dernier voulait remercier la France pour les traductions de hiéroglyphes faites en 1822 par Champollion, le premier à avoir déchiffré l'écriture des anciens Égyptiens.

Le voyage de l'Obélisque

Le *Luxor*, un navire spécialement construit pour transporter le monument, met deux ans et vingt-cinq jours pour arriver à Toulon. Il remonte ensuite jusqu'à Paris et parvient au pont de la Concorde, où sa précieuse cargaison attend encore trois années son installation définitive. À son débarquement à Paris, en 1835, l'Obélisque est tiré sur une rampe située en haut du pont de la Concorde. Pour cela, Astérix et Obélix étant en vacances, 240 soldats sont mobilisés. Un an après, une fois le socle préparé, les travaux reprennent. Le 16 août 1836, l'Obélisque est enfin posé sur son socle par 300 soldats et autant de marins. On le dresse avec succès le 25 octobre 1836 : 200 000 spectateurs viennent applaudir cet exploit !

Notre-Dame-de-Paris

De Notre-Dame, tu connais peut-être surtout les gargouilles et l'histoire du bossu amoureux de la belle Esmeralda. Pourtant, sortie de terre il y a plus de huit siècles, construite en plein cœur de Paris, sur l'île de la Cité, Notre-Dame est visitée chaque année par des millions de personnes qui viennent admirer cette survivante du Moyen Âge.

Un chef-d'œuvre créé par des inconnus

En 1163, Maurice de Sully, évêque de Paris, décida de faire construire une cathédrale à l'endroit même où se trouvait déjà une église en ruines. Cela fait si longtemps maintenant que l'on n'est même pas sûr du nom de l'architecte qui dessina le plan de Notre-Dame – peut-être Pierre de Montreuil, qui a travaillé aussi à la Sainte-Chapelle. Le chantier, en tout cas, était énorme et difficile, et il ne fut terminé que vers 1340, deux siècles plus tard.

À bas les rois !

Durant la Révolution, la cathédrale fut très endommagée : tout ce qui pouvait rappeler la monarchie fut pillé et détruit comme, par exemple, 28 statues de rois de l'Ancien Testament. Les émeutiers, croyant qu'il s'agissait des

rois de France, les abattirent et les décapitèrent. En 1977, 21 têtes de ces statues ont été découvertes par hasard, au cours d'un chantier, en même temps que des pierres, des morceaux de sculptures, etc. Elles avaient été si bien cachées qu'il a fallu près de deux siècles pour les retrouver ! Elles reposent aujourd'hui en paix, non à la cathédrale, mais au musée du Moyen Âge de Cluny. Elles sont très importantes pour les historiens, car en les étudiant, on peut retrouver les techniques de sculpture mais aussi les goûts artistiques de l'époque de la construction de la cathédrale.

Merci Victor !

Sais-tu grâce à qui on prit conscience qu'il fallait restaurer Notre-Dame ? Mais oui, bravo, grâce à Victor Hugo ! Les héros de son roman, *Notre-Dame de Paris* (1831) étaient bien sûr Esmeralda et Quasimodo. Mais surtout, Hugo réussit si bien à faire revivre la cathédrale au temps du Moyen Âge que les Parisiens du 19ᵉ siècle eurent envie qu'elle soit mieux entretenue.

Il faut dire que Notre-Dame était vraiment dans un triste état. Elle fut restaurée par deux architectes très réputés : d'abord Lassus, puis, surtout, Viollet-le-Duc, qui répara une partie de la façade, ainsi que le portail central représentant le Jugement dernier. Il s'attaqua aussi à la galerie des Rois et fit entièrement reconstruire la flèche, qui avait été détruite pendant la Révolution.

Il voyait des flèches partout !

Viollet-le-Duc avait un rêve : il voulait ajouter une flèche au sommet de chacune des deux tours, et présenta ce projet qui ne fut jamais réalisé, notamment parce que cela aurait coûté une fortune. Est-ce que tu peux imaginer Notre-Dame avec trois flèches au lieu d'une ? Peut-être un peu lourd ! En tout cas, la flèche que tu vois s'élève à 90 mètres au-dessus du sol. Pour la reconstruire, on a utilisé 500 tonnes de chêne et 250 tonnes de plomb.

Visite guidée

Commence par le parvis. Au Moyen Âge, il était beaucoup plus petit. Des jongleurs, des clowns, des montreurs d'animaux savants venaient y faire leurs tours, devant un public bouche bée. On y jouait aussi des mystères : c'était le nom donné à des spectacles tirés de la Bible ou de l'Évangile. C'étaient à peu près les seules pièces de théâtre de l'époque, et de nombreux spectateurs se pressaient pour y assister.

Avant de pénétrer dans la cathédrale, tu peux passer un grand moment à admirer la façade : il n'y a pas un, ni même deux, mais trois portails, magnifiquement sculptés.

Lorsque tu entreras à l'intérieur du monument, tu seras frappé par son immensité : la nef mesure 130 mètres de long, 48 mètres de large et 35 mètres de haut. N'oublie pas de regarder la rose nord : la Vierge règne au centre, entourée de 80 personnages – des prêtres, des rois, des prophètes et des juges. Son diamètre est de 12,90 mètres : imagine dix enfants debout les uns sur les autres, cela te donne une idée de sa dimension !

Tu seras aussi certainement intéressé par la vie de Jésus, sculptée autour du chœur. Tu peux faire le tour de la cathédrale pour en repérer les coins et recoins, avant d'attaquer le clou de la visite : la montée d'une des tours.

Des chiffres à donner le vertige

Prends bien ton souffle : l'escalade se fait par la tour nord. Tu redescendras par la tour sud, après avoir grimpé 402 marches en tout (attention, l'escalier en colimaçon est étroit). Les tours s'élèvent à soixante-neuf mètres au-dessus du sol. Quand on débouche à l'air libre, on est impressionné par la vue plongeante sur le parvis et la Seine... c'est aussi là que se trouvent les monstres sculptés les plus terrifiants. La tour sud abrite le fameux "bourdon", nommé Emmanuel. C'est une énorme cloche qui pèse 13 tonnes. Le battant fut longtemps actionné manuellement : il fallait 8 hommes pour le faire bouger – il pèse près de 500 kilos à lui tout seul.

Le grand orgue de Notre-Dame

Sous la rose ouest, 8 000 tuyaux, 113 symphonies, 5 claviers... les orgues de Clicquot datent de 1730. En 1962, une nouvelle console à commandes électriques a été mise en place : l'orgue de Notre-Dame est le plus grand de France. Si tu le peux, assiste à un concert (en général le dimanche à 17h30). Même si tu n'aimes pas la musique classique, tu ne t'ennuieras pas.

De prestigieux visiteurs

Si Notre-Dame pouvait parler, elle en aurait, des choses à raconter : la révision du procès de Jeanne d'Arc, en 1455 ; le mariage d'Henri de Navarre et de Marguerite de Valois en 1572 ; le sacre de Napoléon Ier en 1804 ; le mariage de Napoléon III en 1853 ; les funérailles nationales du maréchal Foch en 1929 ; la cérémonie de la libération de Paris, le 26 août 1944 ; le dernier hommage de la France au général de Gaulle le 12 novembre 1970, et tant d'autres événements, tristes ou heureux, qui font partie de notre histoire.

Petits écoliers savants

Sais-tu que l'alexandrin, c'est-à-dire le vers à douze pieds, a été inventé par un maître qui faisait la classe à ses élèves au pied de Notre-Dame ? On l'appelait Alexandre de Paris.

En forme de croix

Souvent bâties sur la tombe d'un saint, les églises ont la forme d'une croix : la nef des cathédrales est toujours tournée vers le soleil levant, vers Jérusalem. Si tu regardes une cathédrale photographiée du ciel, tu aperçois très nettement la croix latine : la nef qui est le "corps du vaisseau" et le transept (les bras de la croix).

Ravalement de façade

Les fientes de pigeon, la pollution et surtout les fractures et les éboulements dus au ruissellement des pluies depuis des siècles... En 1988, on a fait un état des lieux qui a montré une cathédrale à nouveau en bien mauvais état : encrassement général, statues méconnaissables, anciennes restaurations à revoir... Heureusement, la vieille cathédrale en a vu d'autres, et malgré son grand âge, elle demeure très solide. On a fait appel à des maçons, à des tailleurs de pierre, à des sculpteurs... mais aussi à de jeunes ingénieurs passionnés d'histoire de l'art. Ils ont nettoyé les tours et les parties hautes de la façade ouest, réparé les gargouilles et les gouttières les plus exposées aux intempéries et aux ruissellements, remplacé les blocs de pierre trop endommagés. Sur les trois portails, plus de 300 statues ont été étiquetées, photographiées et analysées, ainsi que les 28 rois, hauts de 5 mètres chacun. Pour le nettoyage proprement dit, plusieurs techniques nouvelles ont été employées, notamment celle du rayon laser, très puissant, qui dissout en un clin d'œil toutes les salissures, sans abîmer la pierre. La guerre des étoiles au service des monuments ! Ce ravalement de façade a permis de relever des traces de couleur dans les plis de la pierre, ce qui prouve qu'à l'origine, Notre-Dame était peinte avec un grand nombre de couleurs vives : le drapé des anges était rouge, leurs ailes entre le vert et le bleu et leurs auréoles dorées, bien sûr.

Pigeons et faucons

Chassés par le chantier, les milliers de pigeons qui nichaient sur la façade ont dû décamper. Pour les empêcher de revenir, on a inventé un système plutôt efficace, quoique pas très agréable pour eux : des tiges pratiquement invisibles à l'œil nu ont été installées sur toutes les parties horizontales. À chaque fois qu'un pigeon s'y pose, il reçoit une décharge électrique. Pas de quoi le tuer, mais assez pour le décourager d'utiliser les statues comme toilettes privées !

En revanche, d'autres habitants à plumes vivent à Notre-Dame, et eux, on les bichonne plutôt : il s'agit de faucons crécerelles. Mais oui, des faucons, en plein Paris (il y en a aussi à la tour Eiffel, à la tour Saint-Jacques, au Sacré-Cœur, etc.). Plusieurs couples s'y établissent chaque année.

Sous les pavés, l'histoire de Paris

Sur le parvis de Notre-Dame, face au portail central, une dalle de bronze aux armes de la ville indique le kilomètre zéro des routes de France ; sous ce vaste espace, récemment remodelé et en partie surélevé où l'on a indiqué l'emplacement des rues et des monuments d'autrefois, se trouvent les vestiges de Lutèce, autrement dit Paris, alors que la ville n'était qu'une cité gallo-romaine. Ils occupent la plus vaste crypte archéologique du monde : 117 mètres de long. Découvert en 1847, lors de la construction des égouts, le site ne fut dégagé qu'un siècle après, lors du creusement du parking souterrain. Tout était intact et préservé sous la chaussée de l'ancienne rue Neuve-Notre-Dame, dont le niveau se trouvait à la hauteur du plafond de la crypte actuelle.

Dans les environs

Le Petit-Pont : c'est à cet endroit que le premier pont de Paris fut construit, au 1er siècle !

Le marché aux fleurs, place Louis-Lépine (4e) : on dit qu'une geôlière venait là acheter des œillets pour Marie-Antoinette, prisonnière à la Conciergerie ! Le dimanche, il devient marché aux oiseaux.

13

Le Louvre

Château fort au Moyen Âge, résidence royale à la Renaissance, cité d'artistes au 17ᵉ siècle et *muséum** depuis 1793, le Louvre n'a cessé de se transformer au fil des siècles. Aujourd'hui, c'est l'un des plus grands musées du monde et 8 000 visiteurs y entrent chaque jour pour admirer ses collections et, au passage, la célèbre pyramide de verre érigée au milieu de la cour Napoléon. Ne te laisse pas impressionner, le Louvre est avant tout un formidable terrain de découverte et d'aventures.

D'abord un château fort

Imagine... Nous sommes en 1190 ; c'est le temps des Croisades. À la veille de son départ pour la *Terre Sainte**, Philippe Auguste veut protéger Paris des attaques des Anglais, installés en Normandie. Il fait donc construire une muraille de plus de 5 kilomètres de long et un château, le Louvre. Cette forteresse aux dimensions impressionnantes est munie de 8 tours et d'un énorme donjon de 32 mètres de haut et de 15 mètres de diamètre où le roi conserve son trésor, son armement et des vivres.

Il ne reste presque plus rien aujourd'hui de cette forteresse des origines, sinon ses fondations, récemment remises en valeur et que tu peux visiter dans une atmosphère de mystère.

Le Louvre devient un palais

En 1360, Charles V décide de quitter le vieux palais des rois qui se trouvait sur l'île de la Cité (voir le Palais de Justice, p. 29) et transforme la forteresse en résidence royale. Il en fait un endroit plus agréable, muni de fenêtres quand il n'y avait que des meurtrières, avec des salons richement décorés, un jardin et même une ménagerie pour se distraire.

Deux siècles plus tard, François Iᵉʳ trouve l'endroit vraiment sinistre : "Rasez-moi vite ces tours et ce donjon ridicule", ordonne-t-il. "Ma parole, on se croirait encore au Moyen Age, ici !"

Aussitôt dit, aussitôt fait. Son architecte, Pierre Lescot, dessine des bâtiments élégants comme ceux qu'on trouve dans le Val de Loire : désormais, un château doit être luxueux et confortable. Mais la construction d'un palais est parfois plus longue que la vie d'un souverain. Quand François Iᵉʳ meurt, c'est Henri II qui prend le relais. Puis, Catherine de Médicis a l'idée de réunir par une longue galerie en bord de Seine le Palais du Louvre à celui des Tuileries, mais c'est Henri IV qui achèvera les travaux.

Louis XIV, avant de préférer l'air de Versailles à celui de Paris, s'intéresse lui aussi au Louvre : ses architectes Le Vau et Claude Perrault (le frère de Charles, dont tu connais certainement les contes) achèvent la cour carrée et imaginent une façade monumentale rythmée de colonnes. Mais le Louvre n'est toujours pas terminé !

C'est Napoléon Iᵉʳ qui se charge de la façade nord, le long de la rue de Rivoli, qu'il fait percer et aménager ; Napoléon III achève la cour Napoléon.

Le Louvre, joyeuse résidence d'artistes

Depuis Henri IV, il y a toujours eu des artistes au Louvre. Mais en 1682, quand Louis XIV déménage à Versailles, il abandonne le Palais aux artistes, qui l'envahissent et l'adaptent à leur style de vie, plus bohème que celui des rois.

Ils se partagent les appartements royaux, montent des cloisons dans les grandes salles de réception et percent les murs pour faire passer les tuyaux des poêles qui chauffent leurs ateliers. Des auberges sont installées au rez-de-chaussée, des marchands de vieux habits encombrent la Cour Carrée et des hangars sont construits contre la colonnade. Bref c'est un joyeux fouillis... jusqu'en 1806 quand Napoléon Iᵉʳ chasse les artistes ; alors, le Louvre "retrouve son sérieux".

...Enfin, le plus grand musée du monde

On parlait déjà sous Louis XVI d'installer un musée dans la Grande Galerie. Le 7 avril 1793, le public peut enfin se rendre au "muséum central des arts". Il présente les plus belles œuvres que l'on connaisse, rapportées d'Égypte ou de Grèce par les premiers archéologues. Le plus célèbre d'entre eux, Jean-François Champollion, ramènera le "sphinx colossal" en 1826 : un choc pour les Parisiens qui découvrent la civilisation égyptienne. Le fonds artistique du Louvre s'est, depuis, élargi à toutes les civilisations et à toutes les époques.

Ce trésor (plus de 30 000 œuvres exposées) est réparti en sept départements :

- les antiquités orientales,
- les antiquités égyptiennes,
- les antiquités grecques, étrusques et romaines,
- les peintures,
- les arts graphiques,
- les sculptures,
- les objets d'art...

autant de "régions" d'un pays à explorer à ton rythme, au fil de tes passions pour un genre, une époque ou un style.

On a volé la Joconde !

Et oui ! En 1911, un Italien l'avait dérobée pour la "rendre" à son pays. On l'a retrouvée deux ans plus tard. Maintenant, elle est protégée par une vitre pare-balles et bien gardée. Le bruit court que la Joconde que tu peux admirer est en réalité une copie et que la vraie est précieusement cachée dans les réserves du musée. Va savoir !

Géricault

Vinci

Watteau

Chardin

Corot

17

Les amis à poils et à plumes du Louvre

De tout temps, le Louvre a abrité des animaux : en 1292, le roi entretient des oiseaux chasseurs dans la "tour de la Fauconnerie". Philippe de Valois y installe des bêtes féroces et Jean II Le Bon nourrit des lions dans le Palais.

Plus tard, le Louvre accueille des chevaux, signe de richesse et de respectabilité. Mais à la fin de l'Empire, le Louvre n'a plus besoin de chevaux. On vend aux enchères les pur-sang de l'empereur. Les écuries sont peu à peu transformées en salles que tu peux visiter aujourd'hui, comme celle du "Manège". Les mangeoires de marbre qui se trouvaient dans ces écuries sont au zoo de Vincennes.

De nos jours, toutes sortes d'oiseaux habitent le Louvre : l'hirondelle, lorsqu'elle revient d'Afrique, retrouve son nid de boue sous une corniche ; le martinet noir se promène d'avril à août, le rougequeue chasse les insectes sur les toits ; le soir, on peut aussi voir de petites chauve-souris voltiger le long des bâtiments.

19

La Pyramide, quelle histoire !

En 1981, le Président François Mitterrand souhaite étendre les collections du Louvre et ouvrir de nouvelles salles. Il souhaite, en même temps, aménager une structure d'accueil souterraine qui deviendra l'entrée principale du Louvre.

L'architecte Ieoh Ming Pei propose de coiffer la nouvelle entrée d'une pyramide de verre translucide. Haute de vingt mètres, la pyramide est composée de 666 losanges et de 127 triangles de verre assemblés sur une charpente en aluminium.

Le projet est très contesté. On reproche à Pei d'introduire un *objet incongru** au milieu de bâtiments de style Napoléon III, et à François Mitterrand de se prendre pour un pharaon d'Égypte.

Aujourd'hui, pourtant, la Pyramide fait partie du décor parisien. La nuit, quand elle est illuminée de l'intérieur, elle fait penser à une grande lanterne magique qui brillerait dans la ville. Un rêve de verre !

Comment lave-t-on la Pyramide ?

On la lave tous les mois, avec de l'eau et du savon. Au début, c'étaient des alpinistes qui escaladaient ce sommet pas comme les autres pour le nettoyer. Aujourd'hui, c'est une grosse machine automatique créée spécialement pour la Pyramide et adaptée à l'angle de la paroi de verre qui s'en charge.

Sous le Louvre, des siècles d'histoire

Pour construire les installations souterraines actuelles de la Pyramide, il a fallu creuser sous la cour Napoléon. On a trouvé tout d'abord les vestiges de l'énorme donjon du premier Louvre construit par Philippe Auguste mais aussi beaucoup d'objets dont certains sont encore plus anciens : poteries, assiettes en étain, restes d'un fourreau d'épée, objets en bronze, sculptures diverses, cadran solaire en ivoire, bijoux, 700 cachets de cire (pour la correspondance), plus de 4 000 pipes et même un vrai trésor : 190 écus... sans compter, enfin, le casque de parade doré du roi Charles V.

Le coin des enfants

Maintenant que tu connais l'histoire du Palais et de la Pyramide, pars donc à la découverte des collections du musée. Prends ton temps, tu as toute la vie devant toi.

Ne manque pas la visite des antiquités égyptiennes, en particulier les salles thématiques, où tu verras de vraies momies, l'aile Richelieu avec sa voûte de verre qui laisse passer la lumière du jour et où triomphent les chevaux de Marly.

Tu peux participer à des visites guidées spécialement organisées pour les enfants. Pour découvrir les œuvres, leur histoire et en comprendre le sens, c'est l'idéal. Tu peux même t'asseoir tranquillement par terre pour écouter le conférencier ! Si tu préfères travailler de tes mains, choisis plutôt de participer à différents ateliers. N'oublie pas de faire un tour dans la librairie pour enfants, un petit navire, où l'on a choisi pour toi les plus beaux livres d'art.

Dico

MUSÉUM : rajouteum "um" àum laum finum deum chaqueum motum, commeum enum latinum, tuum comprendrasum queum celaum signifieum musée.

TERRE SAINTE : les lieux où vécut le Christ, selon les Évangiles.

OBJET INCONGRU : beaucoup pensaient que la Pyramide n'irait pas dans le style du Louvre et que cela dénoterait par rapport au bâtiment. C'est ce que signifie incongru.

La Sainte-Chapelle, la Conciergerie et le Palais de Justice

Au cœur de Paris, sur l'île de la Cité, peut se lire la plus grande bande dessinée du monde : les vitraux de la Sainte-Chapelle ! Juste à côté se trouve la Conciergerie, qui fut pendant longtemps une prison sinistre. Le tout est situé dans l'enceinte des vestiges de l'ancien palais des rois de France, dont le dernier occupant fut Charles V avant qu'il ne décide d'aller s'installer au Louvre, sur la rive droite.

La Sainte-Chapelle

Nous sommes au 13e siècle, à l'époque des Croisades. Louis IX (Saint Louis, celui qui rendait justice sous un chêne), très croyant, achète à l'empereur de Constantinople – aujourd'hui Istanbul, en Turquie – un morceau de la Croix du Christ et quelques épines de sa Couronne. Pour conserver ces précieuses reliques (souvenirs sacrés) dans un lieu digne d'elles, il décide de faire construire à Paris une magnifique église, un sanctuaire : ce sera la Sainte-Chapelle.

On pense qu'elle a été construite par Pierre de Montreuil, un architecte qui a sans doute travaillé sur le chantier de Notre-Dame et à la basilique de Saint-Denis. Véritable chef-d'œuvre de *l'architecture gothique**, la Sainte-Chapelle a été élevée très rapidement : les plans ont été dessinés en 1241, les travaux ont débuté en 1246 et seront achevés dès 1248… un record !

Une chapelle pour les pauvres, une chapelle pour les riches

La Sainte-Chapelle abrite en réalité deux chapelles superposées : celle du rez-de-chaussée est basse de plafond pour une église : elle mesure moins de sept mètres de hauteur. Elle était des-tinée aux serviteurs. Dans le sol, essaie de repérer les pierres tombales, elle datent pour la plupart des 14e et 15e siècles. Observe les murs peinturlurés, comme l'étaient ceux de toutes les églises au Moyen Âge et le plafond, en ciel étoilé. Un escalier en colimaçon conduit à la "chapelle haute" et là, ouvre grands tes yeux, parce que c'est magnifique ! Il y a tellement de vitraux qu'on a l'impression que l'église n'a pas de murs et qu'elle tient toute seule. Cette chapelle était réservée à la famille royale et aux grands officiers.

Une cachette pour le roi

Lève la tête, et tu remarqueras une sorte de balustrade qui fait tout le tour de l'église. À la hauteur de la quatrième fenêtre, au premier étage à droite, un étroit passage permettait l'accès à *l'oratoire** : le roi pouvait ainsi voir sans être vu et assister aux cérémonies en toute discrétion.

Les vitraux les plus anciens de Paris

N'es-tu pas ébloui par la lumière exceptionnelle qui règne dans cette église ? C'est grâce aux 15 splendides vitraux de 15 mètres de hauteur, qui éclairent l'endroit de leurs tons rares et chan-geants. Autrefois, on comparait souvent un vin nouveau, lorsqu'il avait une belle couleur, à l'éclat des vitraux de la Sainte-Chapelle. Chaque grande baie raconte un morceau de l'Ancien Testament – l'histoire du peuple hébreu jusqu'à son installation en Israël – ou du Nouveau Testament (la vie de Jésus et de ses disciples). On peut aussi reconnaître Louis IX recevant les reliques. En tout, 1134 scènes, dont 720 remontent au 13e siècle. Les autres vitraux datent du 19e siècle, époque où l'on décida de restaurer la Sainte-Chapelle, qui était en bien mauvais état.

Quelle flèche !

Une fois ressorti, si tu n'en as pas assez de lever les yeux au ciel, jette donc un coup d'œil sur la flèche. Elle fut dressée en 1857, et reconstruite cinq fois. Elle s'élève à 75 mètres au-dessus du sol. C'est pour qu'on puisse la voir depuis l'Observatoire, que, quelques années plus tard, Napoléon III fera changer le tracé du boulevard Saint-Michel ! Il faudra t'en souvenir lorsque tu visiteras le jardin du Luxembourg (voir p. 30). C'est vrai que cette flèche, on la voit de très loin !

23

Le savais-tu ?
Jusqu'au 17e siècle,
les murs du Palais
baignaient directement
dans la Seine.

La Conciergerie

Construite par Philippe le Bel, petit-fils de Saint Louis, en 1298, la Conciergerie devint, lorsque le roi s'installa au Louvre, la première prison de Paris, et elle le resta jusqu'à la fin du 19e siècle. Aujourd'hui, elle fait partie du Palais de Justice.

D'où vient ce drôle de nom ?

Autrefois, le Concierge était l'intendant du roi. C'était un personnage très important, qui vivait ici. Il gagnait très bien sa vie car c'était un grand seigneur qui touchait les loyers de toutes les boutiques installées au rez-de-chaussée du Palais. Plus tard, lorsque le bâtiment devint une prison, le concierge reçut aussi les loyers des cachots et le prix de location du mobilier des cellules ! Tu verras, lors de ta visite, beaucoup de souvenirs liés à la Révolution, car de nombreux personnages célèbres y furent emprisonnés avant de passer à la guillotine.

PETITE VISITE GUIDÉE

La salle des gardes

L'entrée actuelle de la Conciergerie date de 1864 ; elle donne accès à une petite cour où s'ouvre à droite la porte de la salle des gardes. Deux escaliers mènent aux tours César et d'Argent où furent enfermés des prisonniers comme Ravaillac, l'assassin du roi Henri IV, Lacenaire, un autre célèbre assassin, ou encore le duc d'Orléans. Au fond, une porte ouvre sur la salle des gens d'armes.

La salle des gens d'armes

Elle était réservée aux gens de service de la prison. Elle est très vaste : 1 800 m² – près de 70 mètres de long, 28 mètres de large, 8,55 mètres de haut ; elle est divisée en quatre parties par trois rangées de colonnes et de piliers. Tu remarqueras les quatre immenses cheminées qui permettaient de la chauffer, et dans lesquelles on pouvait faire rôtir un bœuf entier. Autrefois, cet espace était divisé en plusieurs cachots minuscules, sans lumière et sans air.

La galerie des prisonniers

Elle est composée de plusieurs salles. On peut encore voir aujourd'hui l'endroit réservé aux hommes, celui des femmes, la fontaine où elles lavaient leur linge, la table de pierre, la petite cour…
Cette galerie fut habitée par Marie-Antoinette mais aussi par Madame de Récamier, Proudhon, Danton, Desmoulins, Saint-Just, etc. La partie gauche de la galerie était réservée aux condamnés avant qu'ils partent pour l'échafaud. Dans la partie droite se trouvait le cachot de Marie-Antoinette, qui fut transformé en chapelle en 1816.
Au premier étage, tu pourras lire, si tu en as le courage, la liste de tous les guillotinés de la Révolution. Tu verras aussi la reconstitution de quelques cellules, qui te donnera une idée de ce qu'était la vie en prison il y a deux siècles.

La salle des Girondins

C'est une ancienne chapelle dédiée à la Vierge. Elle porte ce nom en souvenir des 21 députés *girondins** condamnés à mort par le tribunal révolutionnaire. Ils y passèrent leur dernière nuit avant d'être exécutés, le 30 octobre 1793.

Une évasion manquée

Bien que très surveillée, la reine Marie-Antoinette avait reçu de l'argent de la part d'un chevalier qui voulait l'aider à s'enfuir. Cet argent devait servir à payer ses gardiens pour qu'ils ferment les yeux, mais l'un d'eux se dépêcha d'aller tout raconter au comité de sûreté générale, et la reine fut transférée dans un cachot plus éloigné de l'entrée. Marie-Antoinette, surnommée "l'Autrichienne" par les Français qui ne l'aimaient pas, y resta 35 jours. Elle fut guillotinée le 16 octobre 1793.

madame de Récamier

marie-Antoinette

Danton

Direction l'échadaud

Entre janvier 1793 et juillet 1794, 2 500 prisonniers ont quitté la Conciergerie pour l'un des trois échafauds de Paris : place de la Révolution (place de la Concorde), place de Grève devant l'Hôtel de Ville et place du Trône-Renversé (devenue place de la Nation).

L'époque des sans-culottes

Les Parisiens, qui réclamaient la guillotine pour le roi et tous les nobles, étaient appelés des "sans-culottes" non parce qu'ils n'en portaient pas, mais parce qu'ils avaient un pantalon et pas la "culotte" des riches – c'était une sorte de caleçon long qui s'arrêtait aux genoux ; sur leurs mollets, les nobles mettaient des bas de soie.

Le calendrier républicain

En septembre 1792, l'année révolutionnaire débute. Le poète Fabre d'Églantine invente un nouveau calendrier : vendémiaire (septembre), brumaire (octobre), frimaire (novembre), nivôse (décembre), pluviôse (janvier), ventôse (février), germinal (mars), floréal (avril), prairial (mai), messidor (juin), thermidor (juillet) et fructidor (août).

Allons z'enfants !

La république choisit pour devise "Liberté, égalité, fraternité", et le compositeur Rouget de Lisle écrit un hymne révolutionnaire, qui commence par "Allons enfants de la patrie, le jour de gloire est arrivé". C'est *La Marseillaise*, l'hymne national, joué ou chanté dans certaines occasions, notamment avant une rencontre internationale de foot ou de rugby.

La tour de l'Horloge

28

Le Palais de Justice

C'est tout ce qu'il reste de l'ancien palais des rois de France, où vécurent les Mérovingiens, les Capétiens, Philippe Auguste, Saint Louis… Lorsque Charles V le quitta pour le Louvre, le Palais devint le siège du Parlement de Paris et le resta jusqu'à la Révolution. L'entrée principale s'ouvre sur la cour du Mai. Ce nom vient du fait que chaque premier mai, on plantait un arbre dans cette cour. Regarde bien cette entrée imposante : la grille est superbe, l'escalier gigantesque. C'est toujours lui qui est filmé lorsque l'on veut faire apparaître le Palais de Justice dans un reportage ou dans un film.

La tour de l'Horloge

Cette tour carrée de 47 mètres de haut date du 14ᵉ siècle. Elle est ornée de la première horloge publique de Paris, commandée en 1371 par Charles V. Cette horloge fonctionne encore aujourd'hui.

La tour Bonbec

C'était la tour où les prisonniers étaient torturés. On l'appelait la tour Bonbec ("bon-bec") non parce qu'on y distribuait des bonbons, bien au contraire ! elle avait la réputation de faire parler les plus récalcitrants des prisonniers (à l'époque, avoir "bon bec" signifiait être bavard). Brrr !

La chambre dorée

On dit que c'était la chambre de Saint Louis. C'est aussi là que siégea le Parlement de Paris et plus tard le tribunal révolutionnaire qui condamna à mort, entre autres personnalités, Marie-Antoinette.

Astuce

Pense à emmener des jumelles pou pouvoir regarder en détail les vitra de la Sainte-Chapelle.

Le coin des enfants

Visite guidée spéciale pour les enfants à la Conciergerie le mercredi à 14h30.

Dico

GOTHIQUE : Le style gothique était employé au Moyen Âge dans la construction des églises et des cathédrales. Avant lui, c'était un autre style, le style roman, qui prédominait.

ORATOIRE : Petite chapelle destinée à la prière.

GIRONDINS : On donna ce nom à un groupe politique révolutionnaire, car plusieurs de ses chefs étaient députés de la Gironde. Ils étaient opposés à d'autres révolutionnaires et finirent, tu l'as vu, par être arrêtés et exécutés.

Le Palais du Luxembourg

Le Palais du Luxembourg est aujourd'hui le lieu de travail des sénateurs. Pas mal comme bureau ! Il n'est pas très facile de visiter le Palais mais le jardin, lui, est fait pour toi.

marie de Médicis

Richelieu

Prison

Sénat

Souvenir d'Italie

À la mort de son mari, le roi Henri IV, Marie de Médicis décide de quitter le Palais du Louvre qui lui semble désormais bien triste. La reine a envie d'un endroit tranquille et surtout d'un château tout neuf qui ressemble aux palais d'Italie qu'elle a connus dans son enfance.

Elle achète au duc de Luxembourg un terrain qui, à l'époque, est presque à la campagne et charge un architecte à la mode, Salomon de Brosse, de lui construire un vrai palais italien. Celui-ci réalisera un château en fait tout ce qu'il y a de plus français... mais personne ne trouvera rien à y redire. La reine a enfin son palais et c'est bien le principal. Rien n'est trop beau pour Marie : les plus grands artistes – dont le célèbre peintre Rubens – sont chargés de décorer toutes les pièces, les salons et les galeries. Enfin, en 1625, Marie de Médicis, qui aura patienté une quinzaine d'années, peut disposer de sa nouvelle demeure. Pas pour très longtemps ! Cinq ans plus tard, une dispute avec le cardinal de Richelieu, conseiller de son fils Louis XIII, l'oblige à quitter Paris, puis la France. Marie rêvera peut-être encore d'Italie mais elle ne reverra plus jamais son cher Luxembourg.

Un palais aux multiples usages

Au fil des années, le Palais du Luxembourg passe entre différentes mains ; princes, ducs et duchesses se succèdent jusqu'à la Révolution... qui n'est pas le meilleur moment de l'histoire de France dont se souviennent les nobles ! Le bâtiment est alors transformé en manufacture d'armes puis en prison. C'est ici qu'on avait pensé enfermer Louis XVI et sa famille après les avoir arrêtés mais l'existence de multiples souterrains augmentait les risques d'une évasion et on jugea plus prudent de trouver un autre endroit.

Après la Révolution, le Palais deviendra le siège du gouvernement puis celui des hautes assemblées qui s'appelleront successivement Chambre des Pairs, Sénat, Conseil de la République, puis à nouveau Sénat à partir de 1958.

Un dôme pour la reine
Peux-tu citer les trois autres monuments, à Paris, qui possèdent un dôme recouvert d'une fine couche d'or ?

Réponse :
Le Panthéon, les Invalides et l'Institut.

À quoi servent les sénateurs ?

L'Assemblée nationale (voir p. 42) et le Sénat constituent le Parlement. Tout comme leurs collègues députés, les sénateurs proposent, discutent et votent des lois.
Les 321 sénateurs sont élus par les maires, les conseillers municipaux et les conseillers régionaux.
Le Président du Sénat est un personnage très important de l'État : en cas de décès ou de démission du Président de la République, c'est lui qui le remplace en attendant qu'on organise des élections. Le Président du Sénat habite le Palais du Petit-Luxembourg adossé à celui de Marie de Médicis. Il est certes plus petit mais c'est quand même une très jolie maison.

RF

Liberté

Loisirs

de droits L'enfant

REPUB · FRANC 2 C POSTES C 2

Côté jardin

Les jardins furent dessinés pour Marie de Médicis avec des allées plantées d'ormes, des terrasses, des statues et des jeux d'eau... On se promène aujourd'hui dans un jardin certes un peu rétréci (au 19e siècle, on a utilisé une partie de sa surface pour créer des rues et bâtir des immeubles), mais avec ses 23 hectares, le Luxembourg est encore un des plus vastes parcs de la capitale. Tu peux distinguer la partie "à l'anglaise" du jardin et le parc "à la française". La première se trouve vers les rues Guynemer, d'Assas et Auguste-Comte avec des bosquets et des allées qui serpentent. Le long de la rue Auguste-Comte, tu découvriras même la seule pépinière de Paris. Pas très loin se trouve le fameux rucher du Luxembourg ; avec un peu de chance, tu verras peut-être les apiculteurs au travail, coiffés de leurs drôles de chapeaux à voilette pour se protéger des piqûres d'abeilles.

Au Luxembourg, tu verras beaucoup de gens venus lire tranquillement leur livre à l'ombre d'un arbre. N'est-il pas émouvant de penser que nos plus grands poètes et écrivains du 19e siècle venaient sans doute, eux aussi, se reposer entre deux rimes ou lorsque l'inspiration leur manquait.

La fontaine Médicis

Le parc à la française, devant le Palais, est beaucoup plus vaste. Allées droites comme des i, larges parterres fleuris ou gazonnés, grand bassin central... tu n'auras pas beaucoup de mal à le reconnaître. Tu peux te promener sur la terrasse qui surplombe le grand bassin : tu y découvriras une succession de statues qui représentent les reines de France et d'autres femmes illustres. Elles ont été installées bien longtemps après Marie de Médicis... mais ce n'est pas une raison pour ne pas aller lire le nom de ces grandes dames sur chaque socle : il y en a certainement que tu connais déjà.

Enfin, si tu as une âme d'explorateur, tu peux rechercher la fontaine Médicis (pas très loin de l'entrée de la rue de Médicis) qui aurait été construite par l'architecte du Palais. En regardant attentivement, tu auras l'impression que l'eau coule en pente douce : il est grand temps de t'arrêter pour prendre un peu de repos car ce n'est absolument pas le cas ! Il s'agit simplement de ce qu'on appelle une fausse perspective.

Baudelaire

Lamartine

Hugo

Balzac

Le coin des enfants

Un guignol pour ton petit frère,
des balades à poney, un manège,
des balançoires, des voitures
à pédales, un parc à jeux...
mais aussi et surtout les jolis
voiliers que l'on peut louer pour les
faire naviguer sur le grand bassin...
voilà de quoi bien remplir ton
après-midi chez les sénateurs !

Les Invalides

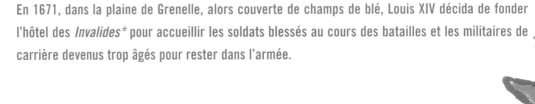

En 1671, dans la plaine de Grenelle, alors couverte de champs de blé, Louis XIV décida de fonder l'hôtel des *Invalides** pour accueillir les soldats blessés au cours des batailles et les militaires de carrière devenus trop âgés pour rester dans l'armée.

Un monde très organisé

Les travaux furent confiés à l'architecte Libéral Bruant, qui venait d'achever l'hôpital de la Salpêtrière. Les choses allèrent assez vite, puisque dès 1674, il était possible d'accueillir les premiers pensionnaires.

Une immense façade de 200 mètres de long, 17 cours, une église (l'église des Soldats, appelée aussi l'église Saint-Louis)... l'Hôtel des Invalides était une véritable ville dans la ville. Il y avait des dortoirs pour les soldats et des chambres plus confortables pour les officiers, plusieurs réfectoires, une infirmerie, des ateliers de menuiserie, de tapisserie, de serrurerie, une

maréchalerie qui fabriquait les fers à cheval, etc. Prévu pour accueillir 2 000 soldats, l'hôtel en abritait 5 000 en 1691.

Attention, la vie à l'intérieur était très réglementée : même s'ils n'étaient plus en service, ces hommes restaient des soldats, qui devaient obéir à une discipline stricte et travaillaient dans les ateliers ou montaient la garde. Ils n'avaient guère le droit de sortir, et surtout pas pour aller s'amuser en ville. Certains ne restaient que le temps d'être soignés de leurs blessures, puis repartaient à la guerre une fois guéris.

Aujourd'hui, l'hôpital existe toujours. C'est même l'un des plus modernes de Paris ; il est réservé aux mutilés de guerre. Une petite centaine d'invalides y vivent encore.

Un ministre un peu trop orgueilleux

Le marquis de Louvois, ministre de la Guerre, surveilla la construction des Invalides. Il était si fier de cet ouvrage qu'il demanda à y être enterré (il mourut en 1691). Mais Louis XIV n'était pas d'accord et ordonna que le corps du ministre soit transporté dans un autre cimetière. Louvois, qui connaissait son roi et se doutait de sa réaction, avait mis au point un petit rébus pour que les

Invalides conservent à tout jamais sa signature. Pour le trouver, il faut observer les mansardes alignées à gauche de l'église Saint-Louis ; la cinquième est curieusement sculptée : un loup entoure de ses pattes un œil-de-bœuf (c'est le nom de ces fenêtres circulaires), les yeux fixés sur le sol de la cour. Ce que l'on peut traduire par le "loup voit"... comme Louvois !

Un problème vite résolu

Il était impensable que le roi entre et sorte par la même porte que tout le monde. Louis XIV était donc bien embêté puisqu'il n'y avait qu'un seul portail aux Invalides. Il fit alors appel à un architecte célèbre, Jules Hardouin-Mansart, qui eut l'idée géniale d'accoler à l'église des Soldats une nouvelle église orientée en sens inverse, ce qui permettait au monarque de disposer de sa propre cour et de sa propre entrée. L'architecte coiffa la nouvelle église d'un dôme qui est le plus beau de Paris et certainement de France. Il avait prévu d'encadrer la façade de deux ailes en quart de cercle comme à Saint-Pierre de Rome mais elles ne furent jamais construites ; du coup, la façade paraît un peu disproportionnée par rapport au dôme.

Un dôme en or

À l'occasion du bicentenaire de la Révolution, un important travail de restauration a été réalisé : 18 artisans ont utilisé 555 000 feuilles d'or fin, soit plus de 12 kilos du précieux métal, durant 4 mois pour dorer la croix, les lanternons, la flèche et le dôme des Invalides. La dorure doit tenir une cinquantaine d'années si les pigeons se tiennent tranquilles. Car, plus que la pollution automobile, ce sont leurs crottes qui ont noirci et endommagé le "chapeau" des Invalides.

Trophées de guerre

Une vieille coutume qui remonte à l'Empire veut qu'on suspende dans l'église des Soldats les drapeaux pris aux armées ennemies. Ceux qui sont exposés aujourd'hui viennent d'ailleurs ou datent d'après le 31 mars 1814, jour de l'entrée des alliés prussiens, autrichiens, russes et anglais dans Paris : le maréchal Sérurier, gouverneur des Invalides, fit en effet brûler dans la cour de l'hôtel les 1 400 drapeaux accrochés dans l'église, afin que les armées d'occupation ne puissent pas les prendre.

Sans lui, pas de frites !

Au 18e siècle, les Invalides accueillaient de nombreux savants. Parmi eux se trouvait Antoine Augustin Parmentier, "l'inventeur" de la pomme de terre. C'est ici qu'il prépara un document sur les vertus alimentaires de cette plante ; ne ménageant pas sa peine, Parmentier ira même jusqu'à transformer les parterres des Invalides en véritables plantations. Sans ce bienfaiteur de l'humanité, qui sait si nous pourrions manger des frites aujourd'hui !

Le tombeau de Napoléon

Louis-Philippe acheva la construction de l'Arc de Triomphe, un monument voulu par Napoléon (voir p. 49), et c'est encore lui qui demanda à son propre fils de rapporter de Sainte-Hélène les cendres de l'empereur exilé. Il fit construire une superbe crypte sous le dôme de l'église. Les travaux durèrent de 1843 à 1861 et le résultat est grandiose : douze statues de marbre blanc veillent nuit et jour sur le tombeau de Napoléon, sculpté dans une roche rouge. Sous l'église des Soldats se trouvent les caveaux qui abritent de nombreux chefs de guerre mais aussi les cendres de Rouget de Lisle, l'auteur de *La Marseillaise*.

La mémoire de la terre

Dans l'église Saint-Louis, pour rendre hommage aux soldats morts pendant la guerre de 1914-1918, une borne – "la Voie Sacrée"– renferme de la terre provenant des champs de bataille. Une autre borne – "la Voie de la Liberté" –, contient de la terre des cimetières américains de la guerre de 1939-1945.

Un lion sur l'Esplanade

Pendant vingt ans, un lion que Napoléon avait rapporté de Venise en 1797 orna l'Esplanade des Invalides. En 1815, la statue fut rendue aux Italiens qui la réinstallèrent sur sa colonne, à l'entrée de la ville.

merci Parmentier

Le coin des enfants

L'hôtel des Invalides abrite le musée de l'Armée, qui mérite une visite à lui tout seul : des armes, bien sûr, mais aussi des uniformes, des emblèmes, etc. Tu pourras admirer les superbes armures utilisées par les chevaliers pour les tournois. Des visites-contes et des jeux parcours-découverte t'attendent. N'oublie pas la galerie des Plans-Reliefs, où sont exposées les magnifiques maquettes des villes fortifiées au 17e siècle par Vauban.

Dans les environs

Le musée Rodin : si tu aimes la sculpture, tu seras gâté, puisque ce musée et son jardin exposent les plus belles œuvres de Rodin et de son amie Camille Claudel. Des visites-ateliers sont organisées pour les 6-15 ans.

Au niveau du pont de l'Alma se trouve l'entrée pour la visite des égouts : des égoutiers professionnels t'entraînent dans une promenade d'une heure environ, et te racontent leur métier. Très intéressant pour comprendre les dessous de Paris... et ne t'inquiète pas, il y a peu de chances que tu tombes nez à nez avec un rat, une araignée ou autre bestiole !

Dico

INVALIDE : infirme, handicapé. On emploie surtout ce mot pour parler des militaires blessés sur le champ de bataille.

Le Palais de l'Élysée

Depuis 1873, c'est ici que se trouve le bureau du Président de la République. Il y dispose même de superbes appartements privés, s'il souhaite y habiter, comme le général de Gaulle ou Jacques Chirac (François Mitterrand, lui, préférait n'y venir que pour la journée et n'y résidait pas). Malheureusement, pour des raisons de sécurité, on ne visite qu'exceptionnellement ce magnifique hôtel particulier. C'est pourquoi nous te proposons d'en découvrir, avec nous, la grande histoire et les petits secrets.

Un hôtel à la campagne

Avant de devenir un des quartiers les plus chics de Paris, le faubourg Saint-Honoré n'était autrefois qu'une plaine coupée de pâturages et de cultures. C'est là, en pleine campagne, que le comte d'Évreux se fit construire une résidence, achevée en 1720. Un peu plus tard, la marquise de Pompadour racheta l'hôtel du comte, qu'elle fit réaménager selon son goût et où elle donna des fêtes grandioses. Après sa mort, la demeure revint à la Couronne. Elle eut plusieurs usages, avant de devenir, en 1805, l'hôtel de Caroline Murat, la sœur de Napoléon Ier. C'est là que l'empereur signa son *abdication**, le 22 juin 1815, après avoir perdu la bataille de Waterloo. Plus tard, Louis-Napoléon, futur Napoléon III, y prépara son coup d'État du 2 décembre 1851. Depuis 1873, l'Élysée est la résidence officielle du chef de l'État, et abrite l'ensemble des services de la présidence.

Une pièce, une fonction

L'Élysée possède 369 pièces, dont 300 bureaux ! Difficile de toutes les décrire. En voici quelques-unes, parmi les plus remarquables :

• **Le salon des Portraits,** qui a conservé ses belles boiseries peintes en blanc et or, datant des origines de l'hôtel. Dans ce salon ont lieu les petits déjeuners, déjeuner ou dîners officiels, lorsqu'il n'y a pas plus de huit personnes.

• **Le Grand Salon,** ou Salon des Ambassadeurs, est celui où le Président reçoit les ambassadeurs et les visiteurs étrangers importants (présidents, rois, princes, ministres, ambassadeurs, etc.).

• **Le salon Murat** accueille le Conseil des Ministres, qui a lieu tous les mercredis matin. Le Président de la République et le Premier Ministre se font face, de chaque côté de la table. Au centre se trouve une pendule en cuivre qui présente deux cadrans : un pour le Président et un pour le Premier Ministre, afin qu'ils puissent lire l'heure en même temps. Pourquoi ne pas faire la même chose à l'école ? ce serait une bonne idée, non ?

• C'est dans **la salle des Fêtes,** une gigantesque pièce décorée comme beaucoup d'autres du sol au plafond qu'a lieu, après chaque élection, la cérémonie d'installation (on dit d'investiture) du nouveau Président de la République. C'est aussi là que le chef de l'État remet officiellement les décorations comme la légion d'honneur.

Il y a encore le salon des Tapisseries, le salon Napoléon III, le Jardin d'Hiver, le salon des Aides de Camp, le salon Pompadour, le salon Cléopâtre, etc. Que de salons ! Est-ce qu'il y en a autant chez toi ? Non ? Peut-être, mais tu n'es pas encore président !

Devinette
Qui remplace le Président de la République s'il meurt ou s'il démissionne ? La réponse se trouve quelque part dans ce livre. Cherche bien !

À propos de la Légion d'Honneur

Elle fut créée en 1802 par Bonaparte pour récompenser les hommes qui le servaient, qu'ils soient militaires ou civils. Le Président de la République est, dès son élection, Grand-Maître de l'ordre de la Légion d'Honneur. Le grand collier de la Légion d'Honneur est en or massif et pèse un kilo. Difficile de passer inaperçu avec ça... mais en général, le Président ne le porte pas ! Chaque année, le Président remet la Légion d'Honneur à un certain nombre de personnes dont il estime qu'elles l'ont mérité. Cela peut être un ancien combattant de 14-18, mais aussi un acteur de cinéma, un chanteur, un écrivain ou même toute l'équipe de France de football... à condition qu'elle soit championne du monde !

Combien de personnes travaillent à l'Élysée ?

Huit cents personnes ! Il y a des cuisiniers, des repasseuses, des jardiniers, des gens chargés du courrier, des lingères… et un horloger, qui remonte chaque semaine les 112 pendules et horloges réparties dans tout le Palais. Les gardes républicains assurent la sécurité.

Le parc

Le jardin de l'Élysée est grand comme deux terrains de football. Depuis sa création au début du 18e siècle, il a connu de nombreuses transformations. La dernière a été voulue par François Mitterrand, en 1989. Les vieux arbres en bon état ont été conservés et on a respecté les tracés des allées, mais de nouveaux massifs ont été dessinés, de nouvelles espèces de fleurs plantées et on a rajouté des jets d'eau. Chaque année, le 14 juillet, le Président de la République organise dans le jardin une "garden party". Être l'invité du Président dans son jardin, c'est pas mal, non ? Mais si tu veux voir ce qui se passe de l'autre côté de l'imposante et mystérieuse grille du Coq (qui ferme le jardin sur l'avenue Gabriel), il te faudra d'abord devenir célèbre.

À quoi sert le Président de la République ?

Louis XIV disait : "l'État c'est moi" (il voulait dire que c'était lui qui décidait pour tout). Aujourd'hui, le "chef de l'État", le Président de la République, est élu pour sept ans au suffrage universel (c'est-à-dire que tous les Français de 18 ans et plus votent). Il nomme le Premier Ministre, mais ensuite, c'est le Premier Ministre qui constitue son gouvernement en choisissant les ministres, avec l'accord du Président. Le Président de la République est aussi le chef des armées : c'est lui qui peut décider de l'entrée en guerre de la France et de l'utilisation de l'arme nucléaire.

L'Assemblée nationale

(Le Palais-Bourbon)

Tu as certainement déjà entendu parler de la "chambre des députés" où siègent nos hommes politiques. En vérité, c'est une bien drôle de chambre que nous t'emmenons visiter aujourd'hui, et qui ne ressemble en rien à la tienne !

De la monarchie à la république

L'histoire du bâtiment est longue et compliquée, car elle suit de près celle du régime politique de la France. Ce fut d'abord le palais de la duchesse de Bourbon, fille de Louis XIV (c'est de là que vient le nom de Palais-Bourbon, souvent utilisé par les journalistes pour parler de l'Assemblée nationale) puis, au fil des années, il passa entre différentes mains. En 1789, la Révolution élabora une nouvelle *constitution** limitant les pouvoirs du roi, et le Palais-Bourbon devint propriété de la nation ; depuis 1795, il abrite la "représentation nationale", c'est-à-dire les députés, élus par le peuple. Pour pouvoir accueillir les séances de l'Assemblée, le Palais dut plusieurs fois être modifié et agrandi.

La façade côté Seine date de 1807. Elle a été élevée non par un Président de la République mais par l'empereur Napoléon Ier, qui choisit le style antique (les colonnes), pour répondre aux colonnes de l'église de la Madeleine, située sur l'autre rive.

Visite guidée

Le Palais-Bourbon est comme une petite ville de trois mille habitants : il y a des fonctionnaires, des plombiers, des fleuristes, des déménageurs, des attachés de presse... Les députés disposent aussi d'un bureau de poste, d'un salon de coiffure, de plusieurs restaurants, d'une buvette, d'un kiosque à tabac et à journaux, de salles de sports, de parkings...

Voici quelques-uns des lieux typiques de l'Assemblée, en commençant par le plus connu :

L'hémicycle ou **salle des séances** : c'est dans cet amphithéâtre semi-circulaire qu'ont lieu les séances au cours desquelles sont discutées et votées les lois. La tribune des *orateurs** est située au centre pour que chacun puisse voir celui qui parle. À son sommet, et face à l'hémicycle, se trouve le "perchoir", c'est-à-dire le fauteuil où est installé le président qui dirige les débats. Tu peux parfois voir l'hémicycle à la télé, aux informations.

La cour d'Honneur : elle rend hommage à la Déclaration des droits de l'homme ; sur un socle de marbre blanc, une sphère de granit noir symbolise la portée universelle de la Révolution française ; sur la balustrade de pierre qui lui sert d'écrin sont gravés les articles de la Déclaration.

La salle des Pas Perdus : elle s'appelle aussi salle de la Paix : autrefois on y accueillait le roi, aujourd'hui, on y reçoit les journalistes.

Le salon Delacroix ou **salon du Roi** : il fut décoré entre 1833 et 1838 par le peintre Eugène Delacroix, qui réalisa plusieurs fresques représentant la justice, la guerre, l'agriculture et l'industrie.

La bibliothèque : 800 000 ouvrages sont conservés ici, parmi lesquels des manuscrits rares. Le plafond est un monument à lui tout seul. Un vaisseau de 42 mètres de long où se déploie un fabuleux opéra historique, mythologique, également réalisé par Delacroix, entre 1838 et 1847. Hélas, l'accès de la bibliothèque est réservé aux députés.

Le "piano" : c'est un drôle de meuble, qui ressemble en effet à un piano. Placé à l'entrée de la salle des séances, on peut glisser dans ses casiers des messages à l'intention des députés, un peu comme dans un hôtel...

De la bonne cuisine pour les députés

On mange très bien à l'Assemblée nationale, c'est même l'une des meilleures tables de France ; on y reçoit des personnalités étrangères, et l'on peut servir plusieurs centaines de couverts dans la grande galerie reliant le Palais-Bourbon à l'hôtel de Lassay voisin, qui est la demeure officielle du président de l'Assemblée. On y boit aussi très bien : la cave contient 9 000 bouteilles, et pas des plus mauvaises !

Un peu d'instruction civique

En France, c'est le Parlement qui vote les lois. Le Parlement est composé de deux chambres : le Sénat (voir p. 30) et l'Assemblée nationale. L'Assemblée nationale a plus de pouvoir que le Sénat. Ainsi, dans le vote d'une loi, l'Assemblée nationale a le dernier mot en cas de désaccord avec le Sénat. En principe, n'importe qui peut être député : un ouvrier comme un avocat, une femme comme un homme. Toutes les catégories sociales sont d'ailleurs représentées à l'Assemblée.

Mais il y a peu de femmes par rapport aux hommes (63 sur 577). En ce moment, on parle beaucoup de la parité. Elle consiste à proposer qu'il y ait autant de femmes que d'hommes dans différents domaines de la vie publique, notamment sur le plan politique. Les députés sont élus au suffrage universel (c'est-à-dire par les Français et les Françaises âgés de 18 ans et plus, qui sont inscrits sur les listes électorales), pour une durée de 5 ans.

Qu'est-ce qu'une loi ?

C'est un ensemble de règles qui définissent les droits et les devoirs des citoyens. Une loi est divisée en plusieurs parties, appelées des articles. Chaque année, le Parlement vote une centaine de lois. Le vote des députés s'effectue à main levée, mais en cas de doute, on peut aussi utiliser la méthode "assis-debout" ou encore l'urne électronique, en cas de scrutin public : un clavier à trois touches : bleu = pour ; blanc = contre ; rouge = abstention. Le texte voté par l'Assemblée est ensuite envoyé au Sénat. La loi ne devient obligatoire pour les citoyens qu'après sa publication au *Journal officiel*.

La vie d'un député

Un député partage son temps entre sa *circonscription**, les commissions (ce sont des groupes de députés qui se réunissent pour examiner les projets de loi et préparer les débats) et les séances publiques où il participe à l'examen et au vote des lois. Chaque année, les députés siègent environ mille heures. Après son élection, un député reçoit sa valise de parlementaire. Elle contient notamment le règlement de l'Assemblée nationale, une écharpe tricolore, une médaille législative, une broche appelée baromètre, un cahier contenant toutes les informations pratiques sur la vie à l'Assemblée.

Quelques grandes réalisations

C'est grâce au vote de l'Assemblée nationale que tous les enfants de France peuvent et doivent aller à l'école : en effet, en 1881, l'école laïque, gratuite et obligatoire a été décidée à l'unanimité par les députés. D'autres lois ont changé les choses en France : celles sur la liberté de la presse et des syndicats, la séparation de l'Église et de l'État, l'instauration de l'impôt sur le revenu, la suppression de la peine de mort…

Je vote pour le jeu de billes obligatoires à la récré pour tous les copains

L'école buissonnière

Depuis toujours, il y a un problème d'absentéisme à l'Assemblée. À une époque, on a instauré des feuilles de présence, comme à l'école, mais ça ne changeait rien, et cette idée a vite été abandonnée. Aujourd'hui, on en cherche d'autres. Avis aux amateurs !

Le vote des enfants

Tous les ans, en mai, 577 élèves de CM2, qui représentent l'ensemble des écoliers de France, se réunissent à l'Assemblée nationale. Ils se retrouvent face aux "vrais" députés, pour voter en faveur d'une proposition de loi élaborée pendant l'année scolaire écoulée. En 1996 par exemple, les 577 députés juniors avaient proposé un texte de loi permettant le "maintien des liens entre frères et sœurs, en cas de disparition des parents, sauf motif grave". Il avait été retenu et adopté à l'unanimité par l'Assemblée nationale et le Sénat. Une première mondiale !

Dico

CONSTITUTION : ensemble des lois qui forment un gouvernement. Un des mots dérivés forme le plus long mot de la langue française (anti-constitutionnellement).

ORATEUR : quelqu'un qui prend la parole devant un public pour s'adresser à lui.

CIRCONSCRIPTION : partie d'un pays ou d'un territoire qui dépend d'une autorité locale ou régionale. Un député représente donc, devant ses collègues, les électeurs de sa circonscription.

Un hommage à tous les soldats morts pour défendre la France

Sous l'Arc de Triomphe se trouve la tombe du "Soldat inconnu", un combattant dont on ne connaît pas l'identité, mort durant la première guerre mondiale. Une simple dalle entourée de bronze, avec une inscription : "Ici repose un soldat français mort pour la patrie, 1914-1918." Au-dessus brille la flamme du souvenir : tous les soirs vers 18h, des militaires la rallument.

L'Arc de Triomphe

Plus qu'un monument, l'Arc de Triomphe est devenu un symbole patriotique, depuis qu'y repose le soldat inconnu, dont la tombe a été installée ici en 1921. Avec 50 mètres de haut et 45 mètres de large, l'Arc de Triomphe de l'Étoile était le plus grand jamais construit... avant que la Grande Arche de La Défense ne lui vole son record.

Les côtés de l'Arc sont ornés de quatre ensembles de sculptures : *le Départ des volontaires de 1792*, aussi intitulé *la Marseillaise, le Triomphe, la Résistance* et *la Paix*. Ces sculptures sont, par leur taille, parmi les plus importantes jamais réalisées au 19e siècle. Sous les voûtes, les noms de 660 généraux de la Révolution et de l'Empire sont gravés. Ceux qui sont morts sur les champs de bataille ont leur nom souligné. 178 faits d'armes de cette époque sont également gravés dans la pierre.

Poursuis ton exploration en prenant l'ascenseur qui te mènera tout en haut de l'Arc, te permettant ainsi d'admirer l'une des plus belles vues sur Paris : la place Charles-de-Gaulle et ses douze avenues en étoile, la Grande Arche de La Défense et les toits de Paris aussi loin que tu puisses voir. Les petites fourmis qui s'agitent en bas, ce sont des gens comme toi... avant que tu ne montes !

30 ans de construction

C'est après la victoire de la bataille d'Austerlitz que Napoléon voulut, en 1806, construire un arc de triomphe à la gloire de sa Grande Armée.

Ce n'est pas le premier arc de triomphe que l'on ait réalisé à Paris : les portes Saint-Denis ou Saint-Martin, qui ont la même forme, sont bien plus anciennes. Mais l'arc de la place de l'Étoile est le plus imposant. Normal, Napoléon voulait qu'il soit visible de très loin... jusqu'aux Tuileries où il logeait : il voulait aussi que ce soit un monument "d'une grandeur colossale qui frapperait d'admiration le voyageur entrant dans Paris". Plutôt réussi, non ?

Les travaux ne progressèrent pas très vite, car les architectes n'étaient pas d'accord entre eux et se disputaient sans arrêt pour savoir à quoi allait ressembler ce fameux arc : quatre ans après avoir pris la décision de construire... on n'avait toujours rien vu ! C'était plutôt embêtant, d'autant plus que Napoléon, qui venait d'épouser Marie-Louise, la fille de l'empereur d'Autriche, tenait absolument à impressionner sa jeune épouse en lui présentant *son* arc de *sa* victoire à lui. Comme faire ? Un garçon astucieux, Louis Laffite, sauva la situation en réalisant une maquette grandeur nature en bois et en toile peinte, qui permettait d'imaginer ce que serait l'arc de Napoléon quand il serait enfin construit. Ouf ! tout le monde fut

content et Napoléon étant reparti à ses affaires, on se remit au travail. Cela prit encore du temps : quand Chalgrin, l'architecte, mourut en 1811, l'arc ne mesurait que 5 mètres de haut : pas très monumental !

Les travaux s'arrêtèrent puis reprirent... à différents moments... jusqu'en 1836, date à laquelle les Parisiens purent enfin contempler un Arc de Triomphe vraiment triomphal. Celui qui aurait sans doute le plus apprécié le spectacle n'était cependant pas là : malheureusement pour lui, Napoléon était en effet mort depuis une quinzaine d'années au moment de l'inauguration.

L'Arc de Triomphe

Un fou volant

Charles Godefroy, un fameux pilote surnommé le Baron Noir, avait fait le pari, en 1919, de passer sous l'Arc de Triomphe avec son avion, bien sûr ! C'est à bord de son biplan – le *Newport* – qu'il réalisa cet exploit au petit matin du 9 août, à la vitesse de 50 km/h. Plutôt courageux !

Un petit air de campagne

En 1990, une gigantesque moisson est organisée au pied de l'Arc, par des agriculteurs. Veaux, vaches et cochons se promènent tranquillement sous le monument, tandis que des paysans moissonnent du blé à même la chaussée, jusqu'en bas des Champs-Élysées !

Le plus beau coucher de soleil de l'année

Deux fois par an, en été et en automne, le soleil se couche pile sous l'Arc de Triomphe. En fin d'après-midi, les Champs-Élysées sont envahis par les touristes et les photographes qui se battent pour avoir le meilleur point de vue.

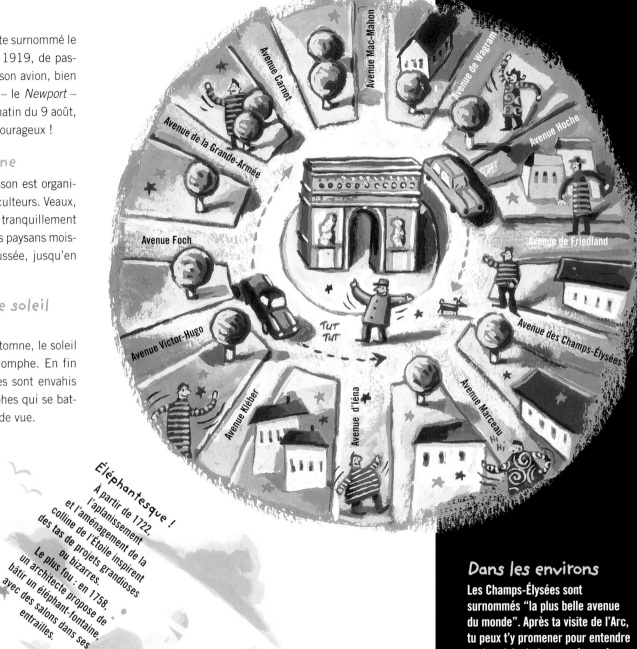

Éléphantesque !

À partir de 1722, l'aplanissement et l'aménagement de la colline de l'Étoile inspirent des tas de projets grandioses ou bizarres.
Le plus fou : en 1758, un architecte propose de bâtir un éléphant-fontaine, avec des salons dans ses entrailles.

Dans les environs

Les Champs-Élysées sont surnommés "la plus belle avenue du monde". Après ta visite de l'Arc, tu peux t'y promener pour entendre parler plein de langues étrangères : tous les touristes, à un moment ou à un autre, viennent se balader sur les Champs !

La basilique du Sacré-Cœur

À Montmartre s'élève la célèbre basilique du Sacré-Cœur... que tu peux aussi voir sur toutes les cartes postales représentant Paris. Avec son dôme haut de 83 mètres – l'équivalent d'un immeuble de 25 étages – lui-même perché sur une colline à 130 mètres d'altitude, il est vraiment difficile de la louper dans le ciel parisien.

Bien assise

Le Sacré-Cœur n'est pas une église comme les autres ; il reçoit chaque année la visite de deux à trois millions de pèlerins venus du monde entier. C'est aussi un sanctuaire consacré à "l'adoration perpétuelle", c'est-à-dire que des fidèles prennent le relais pour prier jour et nuit sans interruption.

La basilique a été construite en hauteur pour être bien en vue ; un choix qui comportait quelques inconvénients. En effet, la butte est une dangereuse taupinière géante, minée par les carrières et les souterrains qui interdisent toute construction lourde. Il a donc fallu forer 83 puits de 38 mètres de profondeur dans lesquels on a fait couler un mélange de ciment et de hiboux, non !, de choux, non !, de poux !, encore non !, de cailloux – ah ! cette fois ci, ça y est – donc du ciment et des cailloux pour créer une base bien solide. Tout ceci forme une telle toile d'araignée que certaines mauvaises langues assurent que la basilique soutient la butte et non l'inverse.

À votre Sacré-Cœur s'il vous plaît !

Tout fut compliqué avec la construction de la basilique. Il y eut d'abord de belles empoignades jusqu'à l'Assemblée nationale entre les catholiques et les monarchistes qui voulaient cette basilique et les républicains qui n'en voulaient pas. Ensuite, il fallut trouver de l'argent. On lança une souscription, on organisa des quêtes, des visites et des pèlerinages pour financer le projet. Plus de dix millions de personnes firent des dons ; pour que les gens se rendent compte de ce à quoi leur argent allait servir, on publia des tarifs : pour 120 francs on n'avait droit qu'à une pierre cachée, pour 300 francs, une pierre visible... pour tout un pilier c'était évidemment plus cher, entre 5 000 et 100 000 francs.

Un chantier long et difficile

Décidée au lendemain de la guerre entre la France et la Prusse en 1870, la basilique ne sera consacrée qu'en 1919. Le chantier lui-même aura duré 40 ans ! Tout au long de sa construction, le Sacré-Cœur voit se succéder différents architectes... qui n'en font souvent qu'à leur tête. Ils sont responsables de la hauteur exagérée des dômes et de la surélévation des fenêtres. Résultat : il fait toujours nuit à l'intérieur de la chapelle et il faut bien la lumière des bougies qui brûlent à l'intérieur pour apercevoir la mosaïque immense qui décore ses murs. Tout est démesuré dans ce bâtiment, même la fameuse "Savoyarde", une cloche de 19 tonnes, c'est-à-dire le poids de trois éléphants, offerte par des paroisses d'une région montagneuse dont tu devineras peut-être le nom si tu es très malin.

Si tu en as le courage, grimpe les 200 marches qui mènent jusqu'au sommet et tu auras le bonheur de profiter d'un des plus beaux panoramas sur Paris et ses environs ; par temps clair, la vue porte à 50 kilomètres à la ronde.

Noire dedans, blanche dehors

Si l'intérieur de la basilique est sombre, l'extérieur est toujours plus blanc que blanc. Pourquoi ? Ce n'est pas parce qu'on le nettoie tous les jours... ni même parce que ce serait le seul endroit de Paris épargné par la pollution. En fait, la pierre utilisée pour la construction (du calcaire de Château-Landon) blanchit dès qu'il pleut. Imagine à quoi ressemblerait Paris si tous les architectes avaient construit les immeubles avec une pierre qui s'auto-nettoie !

La Savoyarde

Drôles de surnoms
Le Sacré-Cœur a été traité
de tous les noms :
"floraison monstrueuse",
"fromage blanc",
"gros nougat"...
Et toi, qu'en dirais-tu ?

Paris

53

La montagne... sans les skis

Au pied de la basilique, une sorte de cabine téléphérique fonctionne été comme hiver : c'est le funiculaire de Montmartre. Il part de la rue Yvonne-Le-Tac et monte les touristes comme les petits Parisiens au sommet de la butte, 103 mètres plus haut. Jusqu'à 1934, le funiculaire fonctionnait grâce à la pression de l'eau : pittoresque mais compliqué ! Depuis, il marche à l'électricité et tout est plus simple. Aujourd'hui, le funiculaire peut transporter 2 000 voyageurs par heure dans chaque sens.

Il est aussi très amusant de prendre le Montmartrobus qui grimpe sans s'essouffler jusqu'à la Butte depuis la place Pigalle. Il permet d'admirer les nombreux ateliers et villas d'artistes qui subsistent dans ce que l'on appelle encore le "village" de Montmartre.

Le souvenir des grands peintres qui ont vécu à Montmartre reste très présent : Renoir, Van Gogh, Cézanne... et bien sûr Picasso dont l'atelier, drôlement baptisé le "Bateau-Lavoir", se trouvait place Ravignan ; il a brûlé en 1970 et on l'a reconstruit en conservant son nom, célèbre dans le monde entier.

Le Palais-Garnier
(L'Opéra de Paris)

Quelle petite fille ne s'est jamais imaginée danseuse-étoile sur la scène de l'Opéra ? Quel petit Parisien n'a jamais inventé de merveilleuses promenades interdites sur ses toits, vibrants de musique ? Charles Garnier a construit en plein centre de Paris ce lieu empli de magie, de mystère et de rêves ; en voici la partition.

Un quartier animé

Dans ce quartier célèbre dans le monde entier, ce que l'on voit d'abord de l'Opéra, c'est l'escalier qui mène de la place jusqu'à lui. Lieu de rendez-vous des Parisiens et des touristes, il est aussi très apprécié des pigeons...

L'agitation est incessante sur la place de l'Opéra et dans ses alentours : la terrasse du Café de la Paix, les Grands Magasins et les cinémas des boulevards font du temple des *arts chorégraphiques** le centre d'une scène de théâtre de rue permanent.

Regarde bien : tout raconte dans ce bâtiment la musique et la danse. La façade du théâtre se divise en sept parties, chacune étant décorée de statues symbolisant les arts et de bustes de musiciens classiques, dont les deux plus célèbres sont Mozart et Beethoven.

Lève les yeux et observe : le dôme de l'Opéra, est en cuivre *vert-de-grisé**, décoré de motifs d'or. Il est couronné d'une statue représentant le dieu *Apollon** entre la Danse et la Musique, élevant de ses deux mains la lyre d'or au-dessus de sa tête. À présent, avant de pénétrer dans ce temple de la musique et de la danse, un peu d'histoire.

Un attentat, un concours et Napoléon III

Le 14 janvier 1858, l'empereur Napoléon III échappa de justesse à un attentat alors qu'il se rendait à l'Opéra de l'époque, situé rue Le Peletier. On décida alors d'en construire un nouveau, plus beau, plus sûr et mieux situé, sur le boulevard des Capucines. On décida aussi de tracer l'actuelle avenue de l'Opéra, qui n'existait pas, et d'ouvrir la place où le monument devait être construit.

En décembre 1860, un concours public était lancé. Charles Garnier en fut le vainqueur. On raconte que l'impératrice Eugénie se fâcha à la vue du projet : "Qu'est-ce que c'est que ce style-là ? Ce n'est pas du grec, ni du Louis XV, ni du Louis XVI !" Vexé, Garnier lui aurait répliqué : "Non, c'est du Napoléon III et vous vous en plaignez !"

Charles Garnier, un Parisien amoureux de l'Italie

Charles Garnier naquit à Paris le 6 novembre 1825 dans une famille de forgerons. À 17 ans, il fut reçu à l'école des Beaux-Arts et travailla comme dessinateur dans l'atelier de l'architecte Viollet-Le-Duc (que tu as déjà rencontré à Notre-Dame). Il passa cinq années à voyager en Italie, en Grèce et en Turquie. C'est là qu'il découvrit les marbres, les mosaïques, la couleur qui influencèrent ses goûts et son travail. En 1860, le concours pour le nouvel Opéra bouleversa sa vie. Il travailla 15 ans à l'édification de ce monument qui le rendit célèbre... et qui porte toujours son nom (on appelle l'Opéra de Paris, le Palais-Garnier ou l'Opéra-Garnier).

Des couleurs et de l'or

Le spectacle est dans la salle, aussi bien que sur scène. Garnier voulut que son Opéra soit éblouissant, gai et plein de couleurs. Soixante-treize sculpteurs et quatorze peintres y travaillèrent. Le plus impressionnant, c'est certainement le magnifique escalier en marbre qui mène aux balcons dorés et à la salle de spectacle elle-même. "Que l'escalier de l'Opéra soit une large corbeille, un immense écrin dans lequel voltigent, s'épanouissent et resplendissent des mondes féeriques de papillons, de fleurs et de pierres précieuses !", s'exclamait Charles Garnier quand il rêvait à voix haute.

On ne peut compter tant il y en a, les colonnes, également en marbre, les candélabres de bronze et autres ornements. Imagine la féerie des bals organisés dans l'Opéra à l'époque de Napoléon III, quand les robes des dames ajoutaient aux couleurs de la salle et que les diamants accrochés dans leurs cheveux brillaient comme autant d'étoiles.

La salle est presque aussi captivante à regarder que les spectacles qui y ont lieu. Rouge et or, elle est entourée par cinq étages de loges. Le plafond réalisé en 1964 par le grand peintre Marc Chagall représente neuf opéras ou ballets célèbres. Le rideau d'avant-scène n'est pas en velours mais peint de telle sorte qu'on s'y trompe.

Le lustre de cristal et de bronze qui illumine la salle pèse huit tonnes (8 000 kilos). Pour changer une ampoule ou le nettoyer, une trappe dans le plafond permet aux machinistes de le remonter sans trop de difficulté. Malin, non ? La scène elle-même mesure près de 1 200 m^2, et la salle peut accueillir plus de 2 000 spectateurs.

Les mystères de l'Opéra

En creusant les fondations de l'Opéra, les ouvriers tombèrent sur une sorte de lac qu'il fallut assécher à l'aide de pompes fonctionnant jour et nuit pendant huit mois. Charles Garnier dut mettre au point des protections de béton et de ciment pour canaliser l'eau. Ces protections, construites sur cinq niveaux, forment en sous-sol un univers mystérieux, sombre, humide et inquiétant. Peu de personnes savent que dans les eaux souterraines de l'Opéra, des machinistes élèvent des truites ! Mais ces histoires de lac sous le Palais-Garnier ont beaucoup frappé le public et quand un écrivain, Gaston Leroux, imagina l'histoire du *Fantôme de l'Opéra*, un être effrayant logé dans un palais fabuleux sur un lac souterrain, les lecteurs crurent dur comme fer à l'existence de ce prétendu fantôme.

L'école de Danse de l'Opéra

Elle ne date pas d'hier, puisqu'elle fut créée en 1672. Actuellement l'École, qui a été transférée à Nanterre, comprend 50 filles et 48 garçons âgés de 8 à 13 ans. Ces jeunes danseurs suivent un programme d'études de 5 ans, sanctionné à chaque fin d'année par un concours. Ils débutent "stagiaires" et gravissent peu à peu les échelons : quadrille, choryphée, sujet, premier danseur et, consécration suprême, danseur-étoile ! Mais le travail à la barre est très dur et les pointes et entrechats dans les salles de répétition demandent beaucoup de courage et de volonté. Parfois, les petites danseuses ont si mal aux pieds qu'elles mettent, à la veille d'une représentation, des escalopes de veau très fines au bout de leurs chaussons. Le corps de ballet compte 152 danseurs, qui connaissent aussi bien les techniques de la danse classique que celles de la danse contemporaine.

Devinette
Sais-tu d'où vient le surnom de "petit rat" ?

Réponse
Parce que le bruit des danseuses évoluant sur le parquet avec leurs chaussons ressemble à celui de rats courant sur le plancher.

Des abeilles parmi les étoiles

Sais-tu que des abeilles s'activent dans deux ruches placées sur le toit de l'Opéra et produisent chaque année, grâce au pollen collecté dans les jardins des Tuileries et du Palais-Royal, un très bon miel qui s'achète et, bien sûr, se mange !

Derrière les coulisses

Les décors sont fabriqués dans des ateliers, hors de l'Opéra. 14 camions spéciaux acheminent les décors jusqu'aux coulisses. C'est un travail gigantesque : il faut compter trois mois pour la fabrication des décors, costumes et accessoires d'un spectacle (l'Opéra possède dans ses réserves plus de 20 000 costumes). Le soir de la répétition générale, tout est enfin réuni sur le plateau : décors, accessoires et chanteurs ou danseurs en costumes. La magie peut opérer : les heures de travail passées à répéter, les litres de peinture nécessaires à la fabrication des décors et les mètres de tissus sont devenus des arabesques légères, des forêts pleines de lutins et des robes de princesses.

L'Opéra se refait une beauté

Le temps et la pollution ont eu raison des magnifiques couleurs de la façade voulues par Charles Garnier. Le monument est gris et abîmé. Mais après quelques travaux, tu pourras découvrir l'Opéra tel qu'il était en 1867, coloré, contrasté et doré. À l'intérieur, il est prévu de restaurer les statues et surtout de remettre en place les rideaux d'origine et le mobilier du grand foyer. Les spectacles, plus que jamais, auront un air de fête.

Devinette
De l'autre côté de la Seine, on trouve aussi des ruches d'abeilles. On peut y voir les apiculteurs au travail. Dans quel jardin se trouvent-elles ?

Réponse
Dans le jardin du Luxembourg.

Le coin des enfants

Tu peux assister une fois par an au spectacle donné par les petits rats de l'Opéra. Qui sait, cela pourra faire naître en toi une vocation toute neuve !

Au musée d'Orsay (voir p. 68) sont exposées une maquette du quartier de l'Opéra, ainsi que des maquettes de décors.

Dico

ARTS CHORÉGRAPHIQUES : arts liés à la danse.

CUIVRE VERT-DE-GRISÉ : cuivre recouvert d'une sorte de dépôt qui se forme à l'air humide, ce qui donne au dôme de l'Opéra cette couleur verdâtre si particulière.

APOLLON : Dieu de la lumière, des arts et de la divination.

Dans les environs

Si tu te promènes sur les Grands Boulevards, ne manque surtout pas de visiter le musée Grévin (10, boulevard Montmartre) avec ses 450 célébrités comme Louis XIV, Charlot, Lara Fabian ou Zidane, toutes en cire ! Tu pourras aussi assister à un spectacle de magie et à un son et lumière dans le magnifique "Palais des Mirages".

La tour Eiffel

S'il fallait choisir un monument pour représenter Paris ou même la France, ce serait certainement la tour Eiffel. Chaque année, cinq millions de personnes empruntent ses ascenseurs – ou ses escaliers pour les plus courageux : c'est le monument le plus visité d'Europe.

La plus haute tour du monde

Pour l'Exposition universelle de 1889, qui marque le centième anniversaire de la Révolution française, Paris veut exposer un monument inoubliable. Gustave Eiffel, un ingénieur spécialisé dans l'architecture métallique, propose un projet vraiment révolutionnaire : construire la tour la plus haute du monde, un monument de 300 mètres ! Un tel exploit n'est possible que depuis que l'on sait utiliser le métal en architecture. La pierre ne permet pas d'atteindre de telles hauteurs : les cathédrales les plus élancées ne dépassent pas 160 mètres de haut.

Après deux ans de travaux seulement, en mai 1889, deux millions de visiteurs se bousculent pour monter au sommet de la tour Eiffel et voir Paris d'en haut.

Eiffel, ingénieur des exploits

Né le 15 décembre 1832 à Dijon, Gustave Eiffel construit son premier pont, en fer déjà, sur la Gironde à l'âge de 26 ans. Puis il réalise le pont Maria-Pia au Portugal et le viaduc de Garabit dans le Massif central. C'est encore lui qui réalise l'ossature de la Statue de la Liberté offerte par la France aux États-Unis. En 1889, il achève la "tour de 300 mètres", qui prendra son nom plus tard.

La construction de la Tour, une épopée en trois étapes

Après avoir exécuté près de 5 000 dessins préparatoires, les ingénieurs, les architectes et les ouvriers menés par Gustave Eiffel se lancent dans la construction de la Tour. Pendant deux ans, des centaines d'ouvriers assemblent 15 000 pièces de fer avec 2 500 000 boulons métalliques ! Un véritable jeu de meccano super-géant… qui pèse tout de même plus de 10 000 tonnes.

Première étape, les fondations.

Pour monter à 300 mètres de haut, il vaut mieux avoir des racines solides. On a donc creusé des fondations importantes pour fixer les 4 piliers qui sont comme les "jambes" de la Tour. C'est pour les piliers situés côté Seine qu'on a dû creuser le plus profond (11 mètres) avant de trouver un sous-sol bien stable. Comme c'était en dessous du lit du fleuve, les ouvrier travaillaient à l'abri, dans des caissons métalliques étanches.

Deuxième étape, le montage du premier étage.

Les 4 piliers solidement plantés dans le sol doivent être reliés entre eux par une plate-forme à 57 mètres du sol. Comment être sûr que les 4 piliers soient à la même hauteur au centimètre près ? Il y a une astuce ! Eiffel a fait placer à leur base des vérins qui permettent de soulever un peu chaque pilier (exactement comme un cric permet de soulever une voiture) afin que la plateforme soit parfaitement horizontale.

Troisième étape : jusqu'aux nuages !

Du deuxième au troisième étage, les piliers se rejoignent pour ne plus former, 53 mètres plus haut, qu'un pilier unique. Au troisième et dernier étage, ce pilier, qui rappelle les clochers de nos églises, sera prolongé dans les années cinquante par une antenne de télévision. Avec elle, la tour culmine à 320,75 mètres.

"Mais oui, je suis une girafe
M'a raconté la tour Eiffel
Et si ma tête est dans le ciel
C'est pour mieux brouter les nuages
Car ils me rendent éternelle."
Maurice Carême

63

Mouvements au sommet

Lorsqu'il fait très chaud, la Tour, pour "fuir le soleil", peut se pencher de 18 cm vers le sol. Sous l'action du vent, c'est pareil, le sommet de la tour peut se déplacer de 6 à 7 cm. Rassure-toi, rien de tout cela n'est dangereux, et jamais aucun visiteur ne s'est rendu compte que la tour bougeait.

Pour atteindre le premier étage, il faut grimper 363 marches et encore 380 marches pour le deuxième étage. Le troisième, lui, n'est pas accessible à pied. Heureusement pour les sportifs du dimanche ou tes grands-parents, Gustave Eiffel avait prévu des ascenseurs...

Bien qu'admirée, la Tour n'avait pas que des amis

Voir s'élever dans le ciel de Paris une tour de 300 mètres de haut a provoqué bien des réactions. La pauvre Tour a été traitée de "squelette", de "lampadaire tragique" ou de "colonne de tôle boulonnée". Après des mois de disputes, et deux millions de visiteurs lors de l'Exposition universelle, l'admiration finit par l'emporter.

Les fous de la tour Eiffel

Madame la Tour a inspiré des exploits parfois drôles, parfois plus tragiques. En voici quelques-uns :

★ En 1912, un artisan tailleur tente de voler avec un parachute de son invention, destiné à "préserver les aviateurs contre les chutes dangereuses". En se jetant du premier étage de la tour Eiffel, le malheureux meurt de peur avant de s'écraser.

★ En 1925, Victor Lustig, un escroc international, vend la tour Eiffel à un récupérateur de métaux très naïf en lui faisant croire qu'elle va être démolie. Le ferrailleur abusé n'ose pas porter plainte. Mais on ne sait toujours pas combien lui a coûté la tour Eiffel...

★ En 1948, Bouglione, le propriétaire du célèbre cirque, offre une promenade à une de ses pensionnaires, le plus vieille éléphante du monde, âgée de 85 ans. Cette vieille dame n'ira pas au-delà du premier étage !

★ Le 7 mai 1987, deux étudiants de 18 et 19 ans gravissent en VTT les deux premiers étages de la Tour en 50 minutes, sans mettre une seule fois le pied à terre.

★ En 1987 toujours, un Néo-Zélandais effectue un saut à l'élastique, en "yoyo", accroché au deuxième étage.

★ En 1989, à l'occasion du centenaire du monument, un *funambule** franchit sur fil les 700 mètres séparant le Palais de Chaillot et la tour Eiffel.

Une gigantesque antenne

Passés les grands succès des Expositions universelles, on se désintéresse un peu de la Tour et l'on se demande de plus en plus s'il est bien nécessaire de la conserver. En 1909, pour la sauver de la démolition, Gustave Eiffel obtient qu'elle remplisse un rôle "pratique" : devenir une superbe antenne pour le lancement de la télégraphie sans fil. En 1921, c'est la première expérience de radiodiffusion, suivie quelques années plus tard des premiers essais de télévision. Aujourd'hui, elle sert d'émetteur pour six chaînes de télévision et pour de nombreuses stations de radio. Au troisième étage, tu trouveras aussi une station météo et une autre pour mesurer la qualité de l'air.

Une horloge géante

À sa création, on tirait un coup de canon pour annoncer midi. En 1907 puis en 1934, une horloge géante fut installée, avec des chiffres lumineux de 6 mètres de haut. Mille jours avant l'an 2000 (c'est-à-dire depuis avril 1997), un compteur lumineux géant fait le compte à rebours des jours qui séparent les Parisiens du prochain siècle.

Un village dans la ville

Avec ses activités "techniques" et ses millions de visiteurs annuels, la tour Eiffel est un véritable village. Des alpinistes, des guides de haute montagne, des spéléologues, sans compter les commerçants, les postiers, les caissières, les agents de la sécurité, les membres des restaurants, le personnel d'accueil et le personnel administratif, en tout, environ 400 personnes qui travaillent tous les jours à l'accueil et à l'entretien de la Tour.

Histoire d'ascenseurs

Deux des trois ascenseurs qui montent aujourd'hui les visiteurs au deuxième étage de la tour Eiffel, ont été installés à l'origine. Autant dire qu'ils sont d'une solidité à toute épreuve, grâce, notamment, à leur *système hydraulique**.

La peinture

C'est elle qui assure la conservation de la structure de fer et d'acier. Tous les 7 ans, la Tour est donc entièrement repeinte par 25 peintres qui l'escaladent pendant près d'une année pour appliquer les 25 tonnes de peinture nécessaires.

CUI CUI

Le coin des enfants

Au sous-sol, tu peux visiter la machinerie d'origine des ascenseurs et comprendre leur fonctionnement.

Au premier étage, des tables d'orientation permettent de se repérer dans le panorama parisien. Tu peux également consulter les panneaux du "Journal de la Tour" qui rappelle les visites de toutes les célébrités à la "vieille dame". Tu trouveras à cet étage d'autres animations et même un bureau de poste où l'on marquera d'un tampon "Tour Eiffel" tes cartes postales.

Aux deuxième et troisième étages, la vue sur la ville est encore plus belle. Mais pas question d'avoir le vertige !

Dico

EXPOSITION UNIVERSELLE : C'est une exposition à laquelle sont conviés les pays du monde entier. Chaque nation doit montrer ses spécialités, ses œuvre, ses inventions.

FUNAMBULE : Personne qui marche ou danse sur une corde raide.

SYSTÈME HYDRAULIQUE : système qui utilise la force et l'énergie de l'eau pour créer le mouvement. Ici, c'est ce système qui permet aux ascenseurs de monter et de descendre.

Orsay

Le musée d'Orsay est le plus récent des grands musées parisiens. Mais avant d'accueillir des tableaux et des sculptures, ce très beau bâtiment abritait une gare : on peut d'ailleurs encore voir la grande horloge et les noms des villes desservies (Orléans, Tours, Bordeaux) inscrits sur la façade.
Attention au départ...

mais où est le TGV ?

La plus belle des gares

C'est en 1900, à l'occasion de l'Exposition universelle, que l'on inaugura la luxueuse gare d'Orsay. Un véritable palais ! Jamais, à Paris tout du moins, on n'avait construit aussi beau et aussi richement pour une gare. Il faut dire qu'un progrès récent facilitait bien les choses ; seules des locomotives électriques pénétraient sous la grande verrière... ce qui était une grande première dans la capitale. L'absence de fumées noires et de jets de vapeur permettait de soigner le décor.

Tous les jours, près de 200 trains partaient d'Orsay pour l'ouest et le sud-ouest de la France. La gare se révéla cependant assez vite trop petite pour des trains toujours plus longs et plus nombreux et l'on décida, en 1939, de ne lui laisser que le trafic banlieue. Mais avec le développement des gares Montparnasse et d'Austerlitz, on ne sut bientôt plus vraiment quoi faire d'Orsay. La gare servit de lieu d'accueil des prisonniers de guerre à la Libération, de décor de films, de salle des ventes, de théâtre... Et quand on n'eut plus d'idées, on ferma à double tour les grandes portes de cet édifice encombrant... qu'on parla même de raser. Finalement, en 1978, la décision fut prise de transformer la gare en musée. Orsay était sauvé de la démolition.

Adieu la gare, vive le musée

Les architectes se mirent au travail : il fallait transformer tout ce qui devait l'être, car un musée n'est pas une gare.

Mais on voulait aussi conserver le style général et les beaux éléments du décor. Ainsi, les piliers, les poutres en fonte, les coupoles et la verrière furent préservés. La climatisation fut installée dans les caissons de la voûte qui servent aussi à "aspirer" les sons afin que le visiteur n'ait pas l'impression de se promener dans un hall... de gare !

C'est une architecte et décoratrice italienne, habituée des musées parisiens puisqu'elle avait déjà travaillé à l'aménagement du musée d'Art moderne de Beaubourg, qui fut chargée de la rénovation. Elle mit au point un système d'éclairage préservant les œuvres d'une lumière directe. Ce décor magnifique convient parfaitement aux œuvres exposées qui datent pratiquement de la même époque. Après six ans de travaux, le musée d'Orsay ouvrit ses portes au grand public en 1986.

Trappes mystérieuses

Le musée comprend deux "cachettes". La première se trouve dans l'allée centrale, au pied du groupe sculpté intitulé *Les quatre parties du Monde*. À un endroit, le sol semble découpé : c'est par cette large trappe que l'on fait passer les œuvres de grandes dimensions conservées dans les réserves du musée.

Au fond de la nef s'ouvre une autre caverne mystérieuse : sous un plancher de verre, tu peux découvrir une maquette géante de l'Opéra Garnier (voir p. 56) et de son quartier vers 1900. Tu peux même marcher dessus, ce qui, avec de l'imagination, te donne un peu l'impression de survoler Paris !

Petite visite guidée

Le musée commence avant même de passer la porte principale : sur le parvis, tu ne peux pas manquer les magnifiques statues d'animaux en bronze : l'éléphant, le rhinocéros et le cheval. Tu reconnaîtras aussi les cinq continents. Une fois à l'intérieur, tu pourras imaginer sans peine la gare sous le décor actuel... même si les trains ne stationnent plus dans la nef centrale. Au sous-sol, près de la caisse de l'auditorium, une exposition présente l'histoire de la gare et du musée. La maquette est bien utile pour se repérer facilement.

Orsay : après le Louvre et avant Beaubourg

Les œuvres conservées au musée d'Orsay couvrent toute la seconde partie du 19e siècle. Autrement dit, les collections commencent là où s'arrêtent celles du Louvre et se terminent quand Beaubourg commence. Tu arrives à suivre ? Résumons : le Louvre traite la vaste période allant de l'Antiquité à 1848, Orsay prend le relais de 1848 à 1914 et Beaubourg ferme la marche de 1914 à nos jours.

Des œuvres de tous les styles

Beaucoup de chefs-d'œuvre du siècle dernier se trouvent à Orsay. Tu remarqueras certainement que ce n'est pas parce que des artistes ont vécu à la même époque qu'ils peignent ou sculptent de la même manière. Chacun affirme son style, des groupes se forment, s'opposent, se fâchent, évoluent... C'est ainsi qu'on a pris l'habitude de distinguer des courants artistiques, c'est-à-dire des artistes qui partagent des thèmes d'inspiration très proche ou des techniques semblables.

Van Gogh

Tu peux essayer de reconnaître ainsi quelques grands courants. Veux-tu quelques exemples ?

L'impressionnisme est très bien représenté à Orsay. Observe en particulier les tableaux de Claude Monet, comme la série *La Cathédrale de Rouen* : c'est par petites touches de pinceau que le peintre veut accrocher la lumière d'un moment pour donner "l'impression" d'une scène fugitive. Le spectateur a le sentiment que dix minutes plus tard le tableau n'aurait pas été le même.

Les débuts de l'expressionnisme avec Van Gogh (*L'Église d'Auvers-sur-Oise*) opposent des couleurs qu'on ne trouve pas dans la nature. Les traits de pinceau sont fortement marqués. Même quand le sujet est un paysage tranquille, on sent de la violence et parfois du désespoir dans cette peinture.

Le réalisme et le naturalisme. Courbet (*La Source*), Millet (*Les Glaneuses*) ou Degas (*Petite Danseuse de 14 ans*) veulent reproduire des personnages tels qu'ils sont naturellement, sans qu'ils prennent la pose pour l'artiste. On peint des ouvriers ou des paysans dans des situations de tous les jours plutôt que des princesses dans des jardins.

Le pointillisme avec Signac (*La Bouée rouge*) juxtapose une multitude de petits points qui, tous ensemble, dessinent le motif du tableau.

Les débuts du cubisme avec Cézanne (*Pommes et oranges*) montrent encore une nouvelle façon de percevoir une scène. Une articulation de petits cubes permet de saisir un objet, un personnage ou un paysage sous différentes facettes en même temps.

Les nabis comme Bonnard, Vuillard ou Maurice Denis sont très influencés par les couleurs fortes utilisées par Gauguin ou dans les *estampes** japonaises.

Drôles de têtes !

Si tu veux t'amuser, n'oublie pas d'aller voir les drôles de caricatures d'Honoré Daumier *(Le Têtu borné, Le Gros gras et satisfait...)* : peut-être que quelques-unes ressemblent à des têtes que tu connais !

Le coin des enfants

Des visites guidées pour les enfants sont prévues le mercredi autour de 14 heures 30. Les ateliers du Musée sont passionnants mais il faut s'y inscrire à l'avance.

Enfin, il n'est pas interdit d'aller boire un jus d'orange à la cafétéria, ne serait-ce que pour regarder le paysage à travers la grande horloge transparente.

Dico

Estampe : image imprimée au moyen d'une planche gravée de bois ou de cuivre.

73

Le Centre Georges-Pompidou

(Beaubourg)

Suspendus entre ciel et terre, les visiteurs déambulent, avec sous leurs pieds un spectacle permanent de chanteurs de rues, de cracheurs de feu, de mimes… et de badauds qui arpentent la place dans tous les sens.

Beaubourg, avant le Centre

Dans les années soixante, un parking sauvage occupait un vaste terrain vague dans le quartier des Halles, en plein centre de Paris. C'est là que le président de la République de l'époque, Georges Pompidou, grand amateur d'art moderne, décida de construire un centre artistique et culturel ouvert à tous. Un concours international d'architecture fut lancé. Quelques mois plus tard, un jury choisissait, parmi 682 projets, celui de deux jeunes architectes inconnus du public, l'Italien Renzo Piano et l'Anglais Richard Rogers : un bâtiment tout en verre et en métal, long de 120 mètres et monté sur pilotis.

Pourquoi avoir choisi ce projet ?

La grande idée des deux architectes était de mettre à l'extérieur tout ce qui habituellement prend de la place à l'intérieur : les ascenseurs, les escalators, les éléments servant au fonctionnement du Centre.

De plus, l'aspect du Centre, cette grande boîte transparente aux couleurs vives, plut beaucoup au jury. Il faut dire qu'à l'époque, utiliser le verre comme matériau principal de construction, c'était très nouveau, du moins en France. Enfin, Piano et Rogers avaient prévu de ne pas utiliser tout le plateau Beaubourg pour le monument, mais de consacrer une partie au Centre et une partie au spectacle de la rue. Révolutionnaire !

Que trouve-t-on dans le Centre ?

Le musée national d'Art moderne (qui possède aujourd'hui plus de 40 000 œuvres et son propre atelier de restauration), des galeries d'exposition, une bibliothèque publique très fréquentée (12 000 lecteurs par jour, 400 000 volumes mis à leur disposition), un Centre de création industrielle, l'Institut de recherche et de coordination musicale (IRCAM), une salle de cinéma…

Quelques noms d'oiseaux

Depuis qu'il est sorti de terre, le Centre ne plaît pas à tout le monde, loin de là ! Pour certains, c'est une "centrale électrique", pour d'autres, un "crustacé venu d'ailleurs", un "vaisseau de verre et d'acier", une "raffinerie"ou encore un "pompidosaure"… Certains l'ont même appelé "Notre-Dame-des-Tuyaux-de-Poêle" ! L'architecture a surtout choqué parce qu'elle s'implantait dans l'un des plus vieux quartiers de Paris, qui possède encore des immeubles des 17e et 18e siècles. Mais aujourd'hui, pourrais-tu imaginer Paris sans Beaubourg ?

Quelques projets non retenus
Un village d'igloos, un œuf de 100 mètres de haut, une main ouverte sur le ciel ! Aurais-tu des idées aussi farfelues ?

Un meccano géant

Pour construire, il faut d'abord creuser des fondations : Beaubourg fut d'abord un trou immense, correspondant à quatre niveaux de sous-sols. Ensuite, on a monté, rangée après rangée, 14 *portiques**. Chaque portique est constitué de poteaux fixés sur les fondations, sur lesquels on a enfilé des pièces d'acier de 8 mètres de long, appelées gerberettes, destinées à supporter des poutres fabriquées spécialement en Allemagne, qui font 50 mètres de long en une seule pièce. Enfin, des plateaux-planchers sont posés sur ces poutres. Le tout est équilibré à l'aide de câbles.

Quatre couleurs pour quatre fonctions

Bleu, rouge, jaune, vert... les couleurs ne so[nt] pas réparties au hasard : les gros tuyaux ble[us] acheminent l'air chaud et l'air froid ; les tuya[ux] verts, l'eau ; les gaines jaunes contiennent l[es] câbles électriques. Enfin, le rouge a été choi[si] pour les ascenseurs et les escalators.

76

Au feu !

Les 28 poteaux qui soutiennent le Centre sont remplis d'eau et d'antigel. En cas d'incendie, ils fonctionnent comme un gigantesque radiateur de voiture en absorbant la chaleur. En hiver, lorsque la température descend en dessous de 5 °C, des pompes entrent en action pour éviter que l'eau ne gèle. De plus, on a tout prévu pour que les pompiers puissent intervenir rapidement : 700 portes coupe-feu, 8 000 arroseurs automatiques et 2 000 renifleurs de fumée.

Victime de son succès

Avec 150 millions de visiteurs depuis son ouverture en 1977, c'est-à-dire cinq fois plus que prévu, le centre Georges-Pompidou avait bien besoin d'une révision générale. On a donc dû le fermer pour qu'il fasse peau neuve. Mais cela vaut vraiment la peine, quand c'est pour la bonne cause : créer un nouveau pôle "spectacles" (théâtre, danse, musique, cinéma, vidéo...), doubler la superficie du musée, améliorer le confort général... sans oublier de bien revisser tous les boulons du monstre !

Quelques chiffres

Ouverture du chantier : 1972.
Date de naissance du Centre : 2 février 1977.
Dimensions : longueur 166 mètres ; largeur 60 mètres ;
hauteur 42 mètres.
Poids de la structure : 15 000 tonnes
(5 000 de plus que la tour Eiffel !) pour
28 poteaux, 168 gerberettes, 64 poutres,
5 600 pièces moulées.
Le Centre emploie environ 1 700 personnes.
3 500 litres de savon et 450 balais sont utilisés chaque année pour son entretien.

Je suis Plombier et J'adore Beaubourg !

Le coin des enfants

Le Jardin des Enfants. Un jardin réservé aux 7-11 ans, avec six mondes différents à explorer en toute liberté. 105, rue Rambuteau. Tél. 01.45.08.07.18

Dans les environs

L'atelier de Constantin Brancusi, reconstitué sur la piazza. C'est pour toi l'occasion de découvrir l'œuvre de l'un des plus grands sculpteurs de notre siècle.

La fontaine de Nikki de Saint-Phalle et de Jean Tinguely, place Igor-Stravinsky, décorée de sculptures colorées, aux formes rigolotes.

L'horloge à automates, dans le quartier de l'Horloge. Toutes les heures, le crabe (la mer), le dragon (la terre) et l'oiseau (le ciel) attaquent le "défenseur du temps", un chevalier de bronze qui sort toujours vainqueur des combats.

Dico

PORTIQUE : Tu connais les portiques de jardin, qui soutiennent des balançoires. En architecture, ce mot désigne la même forme : deux barres verticales jointes par une barre horizontale. Un portique sert à supporter des charges très lourdes.

La Cité des Sciences et de l'Industrie (La Villette)

Un château fort de la Science

Le parc de la Villette occupe un immense espace (55 hectares) où se trouvaient autrefois... des abattoirs. C'est difficile à imaginer de nos jours, mais jusqu'à il n'y a pas si longtemps, il y avait en effet des abattoirs à Paris, et les habitants du quartier voyaient défiler dans les rues des bœufs, des veaux, des moutons, des porcs... Les premiers abattoirs de la Villette dataient de 1867, mais en 1958, on entreprit la construction de bâtiments ultra-modernes, pour créer le plus grand abattoir du monde ; en 1969, on élève donc une gigantesque salle des ventes. Et puis on se rend compte que ce n'est finalement pas très pratique, ces abattoirs en pleine ville, et ils ne servent que pendant quelques années : le dernier bœuf est tué le 14 mars 1974 et c'est la fin des abattoirs de la Villette.

Six ans plus tard, on consulte 27 architectes pour créer un "musée national des sciences, des techniques et de l'industrie", dans la vaste salle des ventes. C'est un architecte nommé Adrien Fainsilber qui est choisi, parce que son projet utilise les structures existantes pour les marier avec le verre et l'acier. Il a l'idée de créer une différence de niveau de 13 mètres entre le côté nord et le côté sud du bâtiment et de creuser des douves pour que, entourée d'eau, la Cité ressemble à un château fort. Sa hauteur de 47 mètres – l'équivalent d'un immeuble de 15 étages – se reflète dans l'eau des douves, ce qui donne l'impression qu'il est deux fois plus haut et encore plus colossal. Cela dit, le bâtiment est plutôt imposant par lui-même : 270 mètres de long et 110 mètres de large.

La façade sud, devant laquelle se trouve la Géode, est en verre. Ses serres éclairent l'intérieur de la Cité. Deux coupoles centrales diffusent un éclairage naturel dans le bâtiment, grâce à deux verrières tournantes d'un diamètre de 18 mètres et à 96 miroirs orientables qui renvoient la lumière du soleil dans le hall. La Cité a choisi d'ouvrir ses portes le jour du passage de la comète de Halley, le 13 mars 1986.

Un étage fantôme

À mi-hauteur de la Cité, entre le niveau 0 et le niveau 1, il existe un étage invisible, consacré au fonctionnement technique : pompiers, service de sécurité, agents de surveillance se tiennent prêts à intervenir en cas de problème. Ce niveau est entouré d'une longue rue qui débouche sur le périphérique. Mais on ne la voit sur aucun plan et rien n'indique l'existence de cet étage.

À l'assaut de la Cité

Tu imagines le travail pour nettoyer l'ensemble de la Cité des Sciences ! Il y a au total 45 000 m² de façades et de structures vitrées, 26 000 m² de façades et de structures métalliques (Géode comprise), 84 000 m² de sols... Ce sont des alpinistes qui, aspirateur sur le dos, partent à l'assaut du monument. Parfois, ils utilisent aussi des nacelles. Quel boulot !

Située dans le parc de la Villette, la Cité des Sciences et de l'Industrie est un lieu unique, où se pressent chaque année plusieurs millions de visiteurs. De nombreuses expositions et animations sur différents thèmes touchant les sciences et les techniques ont été conçues spécialement pour les enfants.

Explora

Explora est une immense surface d'expositions temporaires ou permanentes. Il y a une vingtaine de départements qui comprennent des jeux, des panneaux, des expériences, des appareils à manipuler, etc. Certains de ces îlots du savoir sont plus intéressants pour toi que d'autres : les jeux de lumière, la pesée en apesanteur, l'odorama, l'exposition sur l'aéronautique, etc. Demande à tes parents, lors de votre visite, de bien se renseigner sur ce qui est le plus intéressant en fonction de ton âge et de tes centres d'intérêt : des animateurs scientifiques sont présents pour les aider à se repérer.

La Cité des Enfants

Ça, c'est un lieu vraiment génial ! Tellement chouette qu'il faut réserver à l'avance pour y avoir accès. Tu auras forcément envie d'y revenir plusieurs fois, car il y a quatre départements différents, tous plus intéressants les uns que les autres : tu peux par exemple observer le travail des fourmis, monter un journal télévisé dans un vrai studio, réaliser un dessin animé, apprendre à utiliser tes cinq sens (l'ouïe, la vue, le toucher, le goût et l'odorat) pour résoudre des énigmes ou encore visiter le corps humain, etc.

Tu as un petit frère ou une petite sœur ? il y a aussi un espace pour eux, avec des jeux adaptés à leur âge, qui les aideront à faire plein de progrès. Un grand frère, une grande sœur ? La Cité ne les a pas oubliés, avec Techno-Cité, qui leur montre des technologies parfois difficiles, toujours selon le même principe : apprendre en s'amusant. À ne rater sous aucun prétexte !

La serre, jardin du futur

Au niveau 1, tu as dû remarquer une serre immense (900 m²) où l'on fait pousser plus de 100 variétés différentes de plantes et de légumes. Ce sont celles que tu achètes chez le fleuriste ou au marché : des tomates, des concombres, mais aussi des roses, des tulipes, de la verveine, des pommiers. Sauf que certaines méthodes de culture utilisées ici sont très étranges : des fraises poussent sur un mur en tissu, des tomates sont nourries au goutte-à-goutte... Étonnant, non !

La tête dans les nuages

L'exposition permanente sur l'aéronautique est passionnante. Tu peux contempler sept superbes maquettes d'avions et surtout un Mirage IV. Aujourd'hui 18 Mirages IV sont encore en service et celui de la Villette est le seul visible par le public. Il avait été conçu pour le bombardement à haute altitude et à très grande vitesse. En 1960, il a d'ailleurs battu le record du monde de vitesse en atteignant Mach 2,2 c'est-à-dire 2 400 km/h. Tu peux le piloter avec un simulateur de vol. Il a déjà dans les ailes 6 309 heures de vol et 2 975 atterrissages.

Dans les aquariums, pas que des "p'tites bêtes" !

Les aquariums de la Cité recréent sur 250 m² et trois niveaux, les fonds marins de la Méditerranée : environ 200 espèces de poissons, crustacés, mollusques et végétaux sont présentées. Au troisième niveau, tu verras les poissons prédateurs : en pleine mer, ils vivent à près de soixante mètres de profondeur. Toutes ces espèces vivent dans une eau de mer artificielle, fabriquée à la Cité et renouvelée en permanence par une station d'épuration. Même les algues microscopiques, la nourriture préférée de certains poissons, sont cultivées sur place.

Ça, c'est du cinéma !

Quand on dit Cité des Sciences, on pense Géode ! Eh bien la voilà, cette grosse boule de 36 mètres de diamètre ! Elle est composée de 2 580 tubes d'acier boulonnés supportant 6 433 triangles d'acier en inox poli qui réfléchissent l'environnement.

À l'intérieur se trouve un écran de cinéma géant, de 1 000 m². C'est le plus grand écran hémisphérique (c'est-à-dire en forme de boule) du monde. Si tu vas y voir un film, tu auras l'impression d'être, non pas assis dans un fauteuil, mais projeté dans l'écran : acteur plus que spectateur !

De plus, le procédé "omnimax" permet la projection de films à 180°, c'est-à-dire que l'image est neuf fois plus grande que celle projetée dans le cinéma traditionnel. La construction de la Géode est originale : tout le poids de la salle – qui comporte les gradins sur lesquels 386 personnes peuvent s'asseoir – repose sur un seul poteau, l'énorme pilier central en béton que tu vois de partout dans cet espace. Mais ne t'inquiète pas, c'est du solide.

Les autres attraits du parc

Folle Villette ! Dans tout le parc, tu apercevras plusieurs drôles de sculptures rouges. Ce sont les "folies" de Bernard Tschumi. On en compte une trentaine ; en forme de cube, elles mesurent 10,80 mètres de côté et servent à orienter les visiteurs : folie café, folie observatoire, folie fast-food, folie arts plastiques... Celle qui est placée à l'une des entrées du parc porte l'horloge qui rythmait autrefois la vie des abattoirs.

Le Cinaxe, pour les costauds. Une cabine de projection de 60 places, montée sur des vérins hydrauliques, t'installe dans la même situation qu'un pilote d'avion à l'entraînement. C'est dire si tu vas voyager ! Le Cinaxe permet aux spectateurs de ressentir sans danger, mais avec tous leurs effets, les expériences les plus spectaculaires : Formule 1, voyage dans l'espace, acrobaties d'une fête foraine...

L'Argonaute. Après 25 ans de service aux cours desquels il a fait plusieurs fois le tour du monde, ce sous-marin a été désarmé en 1982 à Toulon. C'est grâce à l'obstination d'une association de sous-mariniers qu'il a été accueilli par la Cité des Sciences et de l'Industrie, après un long voyage le menant par voie d'eau de Toulon à la Villette. Sinon, il aurait sans doute fini à la casse.

La Médiathèque des enfants. Dans ce lieu conçu pour les 3 à 14 ans, tu trouveras tous les imprimés dont tu peux rêver – BD, revues, romans scientifiques – mais aussi des films, des logiciels, des cassettes, etc. Le mercredi, il y a des ateliers-jeux dans la salle des Shadoks. Le cinéma projette un petit film en relief : à l'entrée, on te donnera une paire de lunettes spéciales.

La fontaine aux Lions. D'abord installée boulevard Saint-Martin (10e) en 1811 puis déplacée ici en 1867, la Fontaine aux Lions, qui servait d'abreuvoir aux animaux du temps des abattoirs, accueille aujourd'hui les visiteurs qui se donnent souvent rendez-vous devant.

Les jardins thématiques. Certains sont conçus pour les enfants, comme le jardin des vents et des dunes, où tu peux actionner de drôles de machines avec l'aide du vent, le jardin des voltiges, où se trouve une aire de jeux, le jardin du dragon où tu peux escalader ce monstre et profiter d'un immense toboggan, etc.

En avant la zizique ! À côté de la Fontaine a été construite la Cité de la Musique. Elle propose aux enfants des spectacles musicaux, le mercredi et le jeudi, mais aussi un atelier de gamelan (c'est le nom que l'on donne à un orchestre en Indonésie). Le rigolo, c'est que l'on peut y aller en famille. Tu imagines ton père assis par terre, pieds nus, tapant sur un tambour pendant que ta mère souffle dans une flûte de bambou et que toi, tu pinces les cordes d'une vielle ? Toujours à la Cité de la Musique, il y a un magnifique musée des instruments, où tu verras les instruments de musique les plus incroyables. Ce musée organise des visites-contes pour les enfants le dimanche.

La Cité des Sciences et de l'Industrie

Dans les environs

Depuis le bassin de la Villette, tu peux embarquer pour différentes croisières sur les canaux. Par exemple, de la Villette à Pantin, une balade d'une heure et quart, avec passage à l'aller et au retour de la plus haute écluse d'Ile-de-France. Le bateau traverse le parc de la Villette, ce qui te le montreras sous un autre jour. Tu verras également l'activité des péniches, nombreuses sur le canal de l'Ourcq, et les moulins de Pantin, encore en activité, dont l'architecture évoque un château fort du Moyen Âge.

Autre balade (environ 3 heures) : le canal Saint-Martin, de la Villette au bassin de l'Arsenal, à Bastille, avec le passage de plusieurs écluses.

Le coin des enfants

Le mercredi, sur le bassin de la Villette sont proposées différentes activités nautiques, en particulier une initiation au canoë-kayak ou à l'aviron. Réservé à ceux qui savent nager.

La Grande Arche de La Défense

Ce gros cube évidé ressemble à une gigantesque fenêtre de marbre. Le monument offre une vue unique sur La Défense et sur Paris et c'est une des raisons qui incitent chaque année des centaines de milliers de touristes à lui rendre visite.

Plus à l'ouest

Pour comprendre pourquoi on a construit la Grande Arche là où elle est, le plus simple est de prendre un plan de Paris. Tu verras alors qu'il existe une ligne droite ponctuée de monuments, qui part du Louvre (la Cour Carrée, la Pyramide, l'Arc de Triomphe du Carrousel), passe par la Concorde (l'Obélisque) et les Champs-Élysées (l'Arc de Triomphe de l'Étoile) pour aboutir à La Défense, avec l'Arche. Il ne faut pas croire que c'est un hasard : le projet de créer un "grand axe historique" partant du cœur de Paris pour aller vers l'ouest date de l'époque de Louis XIV.

En juillet 1982, on décide de construire un "centre international de la communication" à La Défense, pour lequel un concours d'architectes est lancé. 420 projets sont présentés, et c'est celui de Johan Otto Von Spreckelsen qui est choisi en mai 1983. Pour vérifier que la vue ne sera pas gâchée par le toit de la Grande Arche et avant de lancer définitivement les travaux de construction, on fait hisser par une grue géante, à 100 mètres au-dessus du parvis de La Défense, une dalle de bois de 400 m^2, peinte en faux marbre. Le président François Mitterrand remonte les Champs-Élysées pour voir le résultat, et donne son accord définitif au projet. Deux mille ouvriers, compagnons, architectes et ingénieurs se mettent au travail.

Le 14 juillet 1989, à l'occasion du bicentenaire de la Révolution, on inaugure la Grande Arche. L'idée d'en faire un centre de la communication est abandonnée. Aujourd'hui, la Grande Arche abrite le ministère de l'Équipement, soit 4 000 personnes réparties sur 36 étages, dans le pilier sud. Le pilier nord est loué à des entreprises privées. Le toit de la Grande Arche abrite une Fondation internationale des droits de l'homme, appelée "Arche de la Fraternité". Dans le socle se trouve un grand centre d'information et de documentation sur l'Europe.

Avant l'Arche

Avant la réalisation de la Grande Arche, plusieurs projets sont tombés à l'eau. Parmi eux, celui du futur architecte de la Pyramide du Louvre, Ieoh Ming Pei : il s'agissait d'un gigantesque gratte-ciel de 200 mètres de hauteur, dont les deux branches formaient un V comme victoire ; un autre architecte, Émile Aillaud, avait imaginé, lui, deux immeubles miroirs, l'un noir et l'autre argenté.

Les aventuriers de l'Arche géante

Les Champs-Élysées pourraient passer sous la Grande Arche qui mesure 70 mètres de large ; on pourrait aussi y "caser" Notre-Dame et sa flèche... Mais qui aurait une idée aussi saugrenue ?

Deux grandes parois verticales de 110 mètres de haut supportent le toit de l'Arche. Le monument repose sur 12 piles de béton supportant chacune près de 30 000 tonnes, soit trois fois le poids de la tour Eiffel. Poids total ? Plus de 300 000 tonnes ! Pour soutenir de telles charges, mieux vaut prévoir de solides fondations. C'est là que les choses se compliquent : en dessous de l'Arche se trouvent trois tunnels de RER, deux chaussées d'autoroute, un bout du parking du centre commercial

À propos du toit

D'une superficie totale d'un hectare, le toit repose sur quatre poutres pesant chacune 2 500 tonnes. On peut le comparer à un pont, suspendu à 100 mètres au-dessus du vide. Pendant la construction, on a été obligé de surveiller en permanence les caprices du vent : s'il dépassait 70 km/h, on arrêtait le chantier !

CLIC

CLIC

CLIC

85

"Les Quatre Temps" et une partie de la gare SNCF. Comment construire sur du vide ? Impossible ! On a donc dû tricher un peu avec le fameux "grand axe historique" et construire l'Arche légèrement en biais par rapport à lui, afin de l'enraciner dans un sous-sol bien stable. Plus de la moitié de la Grande Arche est constituée de béton – ce qui est très rare et pose des problèmes techniques compliqués. L'architecte a exigé que l'on recouvre ce matériau de 2 450 panneaux de verre de 800 kilos chacun. De plus, 34 000 plaques de marbre de Carrare (en Italie) sont posées sur les parois de l'Arche. Von Spreckelsen est tellement exigeant qu'il voulait acheter une carrière de marbre en Italie pour être sûr que toutes les plaques soient identiques ! D'ailleurs, il a fallu changer 4 000 plaques pour que les façades présentent un aspect bien uni.

Encore des alpinistes !

Pour laver les 3,5 hectares de surfaces vitrées, il faut compter trois mois ! Comme à la Cité des Sciences, ce sont des alpinistes-laveurs de vitres qui effectuent, en rappel, le nettoyage de la Grande Arche.

Drôle de nuage !

À quoi sert donc cette grande "toile à hublots rayée" qui se trouve sous la Grande Arche ? À empêcher le vent de souffler trop fort sous l'édifice. L'architecte avait d'abord envisagé une structure en verre et en acier suspendue par des câbles. Trop compliqué, trop cher ! Abandonnant cette idée, il imagina la solution d'une toile tendue, évoquant la légèreté d'un nuage ! Cette toile a été spécialement étudiée pour l'Arche. Elle devait être assez solide pour résister au vent et

aux pluies, mais il fallait aussi qu'elle laisse passer la lumière. Elle reste toujours d'apparence aussi propre parce qu'elle est conçue pour virer au blanc sous l'action de la lumière du jour. Depuis un point particulier du socle, sous le nuage, on peut voir la tour Eiffel. Cherche donc !

Combien pèse le nuage ?
3 kilos ? 30 tonnes ou 300 tonnes ?
(La réponse est facile à trouver quand on se souvient que ce sont toujours les plus grands nombres qui ont raison à La Défense !)

Vertigineux, les ascenseurs !

Pour grimper au sommet d'un monument aussi impressionnant, il fallait des ascenseurs dignes de lui ! Johan Otto Von Spreckelsen voulait qu'ils soient à la fois pratiques et beaux. Pari tenu : après 15 000 heures d'études d'ingénieurs, une tour d'ascenseurs, comprenant 12 piliers en acier inoxydable, traverse la "fenêtre" du socle au toit. Les quatre cabines de verre surmontées d'un dôme réalisé dans le matériau qui équipe les pare-brise des Airbus, permettent de gagner le sommet en 60 secondes.

Avec une capacité de 16 passagers et circulant à la vitesse de 1,60 mètre par seconde, elles peuvent monter et descendre 1 560 personnes à l'heure ! Les contraintes sont multiples : techniques bien sûr mais aussi climatiques : quand le vent s'engouffre sous l'Arche à 40 km/h au niveau de la dalle, cela veut dire qu'il souffle à 100 km/h près du toit ! Les câbles de traction sont donc abrités des effets du vent. Par ailleurs, il n'y a pas de liaisons électriques comme pour les ascenseurs classiques : c'est par radio que sont reliées les cabines entre elles et avec leur machinerie.

Le savais-tu ?
Au centre de l'Arche,
il y a un héliport d'où décollent
et atterrissent les hélicoptères,
principalement destinés
à assurer la sécurité.

La Bibliothèque nationale de France

L'histoire de la Bibliothèque nationale remonte à plus de 500 ans. Tour à tour royale, impériale puis nationale, elle a traversé les siècles, tout en enrichissant ses collections. Aujourd'hui, ses quatre tours en forme de livres ouverts se dressent sur la rive gauche de la Seine, en face du parc de Bercy.

Une bibliothèque, plusieurs sites

Pour toi, la "bibliothèque de France" est à Tolbiac ; pour tes parents, il s'agit encore de celle située rue de Richelieu, dans le 2e arrondissement. Vous avez tous raison ! En effet, les collections de la "BN" sont réparties entre plusieurs lieux, dont Tolbiac est le dernier construit et aussi le plus moderne à tous points de vue.

Histoire d'une bibliothèque d'abord royale...

Le roi Charles V, que tu as déjà rencontré au Louvre, avait installé, dans la tour de la Fauconnerie, sa bibliothèque particulière ; elle était riche de 917 manuscrits, ce qui était considérable pour une époque où il y avait très peu de livres en circulation. Mais elle sera dispersée au 15e siècle.

C'est plutôt Louis XI (roi de 1461 à 1483) qui fut le véritable fondateur de ce qui allait devenir, bien des siècles plus tard, la Bibliothèque nationale. À partir de son règne, la collection sera précieusement conservée et elle ne cessera de s'enrichir : Charles VIII (le fils de Louis XI), puis Louis XII, y ajouteront des manuscrits de l'Antiquité et les premiers imprimés, rapportés des guerres d'Italie.

En 1537, transportée à Amboise puis à Blois, la Bibliothèque rejoint la collection que François Ier a créée en 1522 à Fontainebleau. Ramenée à Paris, dans la seconde moitié du 16e siècle, la Bibliothèque traverse les guerres de religion.

À partir de 1666, Colbert fait transférer les collections royales qui ne peuvent trouver place au Louvre dans deux petites maison qu'il possède rue Vivienne. Il achète de nouvelles collections. L'abbé Bignon, nommé bibliothécaire du roi en 1719, organise la bibliothèque en plusieurs départements et, surtout, ouvre le bâtiment aux savants comme aux simples curieux, une fois par semaine, de 11h du matin à 1h de l'après-midi.

Puis impériale...

Sous Napoléon III, on agrandit la Bibliothèque rue de Richelieu et rue des Petits-Champs. On lance le "catalogue général des livres imprimés" dont la partie "auteurs" ne sera terminée qu'en 1981 !

... Enfin nationale

Au 20e siècle, la Bibliothèque ne cesse de s'agrandir, installant des sites un peu partout, dans Paris et à Versailles. Mais la Bibliothèque a du mal à suivre l'expansion des collections : en 1780, 390 ouvrages étaient déposés, alors qu'il y en a eu 45 000 en 1993 ! Autant dire que la place se fait rare tandis que le nombre de visiteurs ne cesse d'augmenter. Autre problème : la conservation. À partir des années 1850, on fabrique le papier avec de la pâte à bois et non plus du chiffon. Résultat : le papier s'abîme avec le temps. Parmi les deux millions de livres français publiés entre 1875 et 1960 et conservés à la Bibliothèque nationale, 90 000 sont définitivement perdus et plus d'1 million en danger. Il fallait donc régler de façon urgente le problème de la Bibliothèque nationale. C'est ce que se propose de faire François Mitterrand, en 1988, quand il annonce le projet de construire une très grande bibliothèque, entièrement nouvelle et ouverte à tous, contenant tout sur tout grâce aux technologies les plus modernes, notamment Internet.

Des tours en forme de livres

Le Président de la République choisit l'architecte Dominique Perrault pour l'originalité de son projet : un socle évidé et quatre tours d'angle en forme de livres ouverts, hautes de 80 mètres. Chacune abrite 7 étages de bureaux protégés par des volets de bois mobiles et 11 étages de *magasins** protégés par des panneaux de bois et des matériaux isolants.

Au milieu des tours, on est dans un vrai havre de paix grâce au jardin de plus d'un hectare, comprenant 120 pins hauts de 20 mètres ainsi que des chênes rouvres, des bouleaux et des charmes. Le socle ou l'esplanade qui te permet d'arriver à la Bibliothèque a été conçu comme une place publique.

"La plus grande bibliothèque du monde"

Une grande salle de 2 000 places équipée de 500 000 volumes, ouverte à tous et une autre pouvant accueillir 1 600 chercheurs... On a multiplié par six la capacité de la Bibliothèque nationale. Côté ouvrages, on compte au total 13 millions de livres et d'imprimés, 250 000 manuscrits et environ 350 000 périodiques... sans compter le plus vieux livre du monde. Il s'agit d'un manuscrit égyptien, rédigé vers 2 000 avant Jésus-Christ, appelé "le papyrus Prisse". Enfin, la Bibliothèque renferme aussi des livres rares ou précieux, dont la plupart ont une histoire unique : il s'agit par exemple d'ouvrages dans lesquels les auteurs ont porté des corrections ou que des personnages célèbres ont annotés. La Bibliothèque nationale possède d'autres trésors (restés, eux, dans la "vieille" BN, rue de Richelieu) : la plus riche et la plus variée collection du monde d'estampes, c'est-à-dire ici d'images au sens large : 12 millions de cartes postales, de photographies, d'affiches, de dessins, de cartes à jouer, d'échantillons de tissu ou de papier peint et bien sûr des gravures de maîtres signées Rembrandt ou Toulouse-Lautrec.... Parmi les 800 000 cartes et plans, on trouve la plus

ancienne carte marine occidentale : la carte "pisane", établie dans les années 1200. Intéressant pour mesurer les progrès de la connaissance géographique ! Enfin, les 180 kilomètres d'étagères d'imprimés qui se trouvaient rue de Richelieu ont été répartis en quatre départements dans le nouveau bâtiment de Tolbiac. Le déménagement a duré 54 mois, en trois fois dix-huit mois.

Très chère collection !

Le département des Monnaies, Médailles et Antiques (rue de Richelieu, lui aussi) est né de la collection des rois de France. On y trouve ainsi "l'écu d'or" de Saint Louis (1266-1270), le "mantelet d'or" de Philippe IV (1305) ou la "couronne d'or" de Philippe VI (1340). On compte 530 000 monnaies et médailles.

Bon à savoir si tu découvres un trésor...

Imaginons que tu trouves des pièces de monnaie anciennes, elles appartiennent pour moitié à "l'inventeur" (c'est le nom que l'on donne au découvreur) et pour moitié au propriétaire du terrain, mais l'inventeur doit déclarer sa découverte afin de la soumettre pour étude aux spécialistes de la Bibliothèque nationale de France.

Des livres conservés

Au fil des siècles, la Bibliothèque a développé plusieurs techniques pour conserver ses collections : d'abord la reliure, puis la reproduction des documents abîmés et enfin les traitements chimiques. Parfois aussi, on photographie les œuvres appartenant à la Bibliothèque nationale de France et on reproduit certains documents sur microfiches et microfilms. Comme dans les films d'espionnage ! À Tolbiac, la température est maintenue à 18 °C, dans les réserves de livres et pour préserver les ouvrages dans les tours de verre, on a imaginé un système de protection original : climatisation, magasins de béton recouverts de laiton et de cuivre et volets de bois pour l'isolation. Enfin, la Bibliothèque développe des ateliers spécialisés pour retirer l'acidité du bois avec lequel on fabrique le papier.

Une tâche majeure de la Bibliothèque : le catalogue

Pour savoir quel auteur a écrit quel document, il faut l'avoir catalogué, c'est-à-dire décrit dans sa forme, son contenu et parfois son histoire. C'est l'une des grandes missions de la Bibliothèque. Son catalogue sert de référence pour connaître tous les documents édités en France.

Le dépôt légal

Regarde à l'intérieur de tes livres, en bas de l'une des premières ou des dernières pages, tu verras la mention "dépôt légal" suivie d'une date. En 1537, le roi François Ier demande aux imprimeurs et aux libraires de déposer à la librairie du château de Blois tout livre imprimé mis en vente dans le royaume. C'est ce que l'on appelle le dépôt légal, un événement fondamental d'abord pour les livres, les gravures, la photographie, étendu plus tard à la production audiovisuelle et télévisuelle et aujourd'hui aux logiciels et CD-ROM. Grâce à lui, on peut établir la "bibliographie nationale française", qui recense tous les documents soumis au dépôt. Aujourd'hui, les éditeurs de livres, périodiques, brochures, estampes, cartes postales, affiches... déposent leur ouvrage à la Bibliothèque nationale de France.

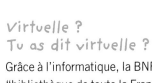

Virtuelle ?
Tu as dit virtuelle ?

Grâce à l'informatique, la BNF devient la "bibliothèque de toute la France". Reliée aux autres réseaux du globe, elle ne connaît aucune frontière et collabore avec les bibliothèques du monde entier. Par exemple, sur Internet, on peut trouver la localisation de 13 millions de documents dans les plus importantes bibliothèques françaises ; on pourra même d'ici peu de temps demander le prêt ou la reproduction des documents localisés. De plus, on peut consulter 50 000 collections de la Bibliothèque... à distance, sans même se déplacer.

Dico

MAGASINS : ce ne sont pas des boutiques, bien sûr ! Le magasin d'une bibliothèque est l'endroit où l'on stocke les livres, bien à l'abri de la lumière et de l'humidité.

L'OBÉLISQUE

Place de la Concorde (75008). Métro Concorde
Visible tous les jours, toutes les nuits,
par tous les temps... et gratuit !

NOTRE-DAME-DE-PARIS

Place du Parvis-Notre-Dame (75004)
Métro Cité
• **Cathédrale.** Ouvert tous les jours de 8h
à 18h45. Tél. 01.42.34.56.10.
Tours de Notre-Dame. Entrée rue du •
Cloître-Notre-Dame. Ouvert tous les jours
de 10h à 16h15 en hiver et de 9h30
à 18h45 en été. Tél. 01.44.32.16.70.
Attention, elles sont parfois fermées
au public, il vaut mieux te renseigner
à l'avance si tu veux absolument faire
l'ascension.

LE LOUVRE

Accès principal par la Pyramide,
cour Napoléon (75001)
Métro Palais-Royal-Musée du Louvre
Tél. 01.40.20.51.51 ou 01.40.20.53.17
Ouvert tous les jours sauf mardi,
de 9h à 18h ; nocturne les lundis
(ouverture partielle) et mercredis
(ouverture complète) jusqu'à 21h45.
Louvre médiéval ouvert tous les jours
sauf mardi de 9h à 21h45.
De nombreux ateliers, en une ou plusieurs
séances, sont organisés pour les enfants
le mercredi et le samedi (et plus souvent
pendant les vacances scolaires).
On commence en général par une petite
visite dans un des départements du
musée, suivie de l'activité proprement
dite : tu pourras par exemple apprendre
à déchiffrer les hiéroglyphes, à draper
correctement un costume grec ou
à peindre avec des pigments naturels...

entre autres choses passionnantes.
Réservation possible 14 jours à l'avance
par téléphone au 01.40.20.52.09
pour les ateliers en une séance, sur place
pour les autres.
Autre possibilité très intéressante :
les visites-conférences guidées,
organisées pendant les vacances scolaires.
Renseigne-toi au 01.40.20.52.09.

LA SAINTE-CHAPELLE, LA CONCIERGERIE ET LE PALAIS DE JUSTICE

Métro Cité, Saint-Michel
• **Sainte-Chapelle et Palais de Justice**
4, boulevard du Palais (75001)
Tél. 01.53.73.78.50
Ouvert de 9h30 à 18h30 du 1/04 au
30/09, de 10h à 17h du 1/10 au 31/03.
• **Conciergerie.** 1, quai de l'Horloge
(75001). Mêmes téléphone et horaires
que la Sainte-Chapelle.
Parcours fléché, jalonné de panneaux
explicatifs.
• **Palais de Justice.** Les marches du
Palais sont accessibles tous les jours
sauf le week-end de 9h à 18h.

LE LUXEMBOURG

Accès au jardin boulevard Saint-Michel,
rue de Vaugirard, rue Guynemer et rue Auguste-
Comte (75006)
Métro Notre-Dame-des-Champs.
RER Port-Royal, Luxembourg.

LES INVALIDES

(75007)
Métro Invalides, Latour-Maubourg,
École-Militaire, Varenne, Saint-François-
Xavier, RER Invalides
Tél. 01.44.42.54.52 ou 01.44.42.37.72
Ouvert tous les jours sauf les 1/01, 1/05,
1/11 et 25/12 de 10h à 17h du 1/10
au 31/03 et de 10h à 18h du 1/04 au
30/09.
Au musée de l'Armée ont lieu des visites-
contes le mercredi et le samedi ainsi que
pendant les vacances scolaires.
Par exemple "Joutes et tournois au
temps de François Iᵉʳ", "Louis XIV et
les Invalides", "Napoléon et l'épopée
impériale", etc.
Renseignements au 01.44.42.51.73
Tu peux aussi demander à l'entrée un jeu
"parcours-découverte", qui t'apprendra
à bien regarder les collections.

Dans les environs des Invalides :

MUSÉE RODIN
77, rue de Varenne (75007)
Métro Varenne
Tél. 01.44.18.61.10
Ouvert tous les jours sauf le lundi
de 9h30 à 17h45 (de 9h30 à 16h45
du 1ᵉʳ octobre au 31 mars).
Fermeture du parc à 18h45.
Visites-ateliers thématiques deux
mercredis par mois.

LES ÉGOUTS DE PARIS
Entrée pont de l'Alma, face au 93, quai d'Orsay
(75007)
RER Pont de l'Alma
Tél. 01.53.68.27.82
Ouvert tous les jours sauf jeudi et
vendredi de 11h à 17h (dernière entrée
à 16h en hiver, 17h en été)

> **Attention, tous ces renseignements sont**
> **susceptibles de changements. Il vaut**
> **donc mieux appeler avant de se déplacer.**

LE PALAIS DE L'ÉLYSÉE

55, rue du Faubourg-Saint-Honoré (75008)
Métro Concorde
Tél. 01.42.92.81.00
Une fois par an, à l'automne, les
"Journées du Patrimoine" permettent
d'avoir accès à certains lieux
ordinairement interdits au public.
Avec beaucoup de patience (il y a
la queue dès très tôt le matin), tu auras
peut-être la chance de visiter une partie
du Palais de l'Élysée – c'est à peu
près le seul moyen dont tu disposes
pour espérer y avoir accès !

L'ASSEMBLÉE NATIONALE

126, rue de l'Université (75007)
Métro Assemblée nationale, Invalides,
RER Invalides
Pour les visites, se présenter au 33, quai
d'Orsay
Tél. 01.40.63.60.00 (demander le
service des visites) ou 01.40.63.77.77
(boîte vocale donnant toutes les
informations sur les dates et horaires
des séances)
Des visites guidées sont organisées tous
les jours, à 10h, 14h et 15h. Elles sont
accessibles à partir de 10 ans (il faut
être accompagné d'un adulte),
sur présentation d'une pièce d'identité,
sans réservation mais dans l'ordre
d'arrivée – il y a 30 places. Il vaut donc
mieux arriver une bonne demi-heure
avant. Mais si tu le peux, essaye plutôt
d'assister à une séance (dans ce cas, il
faut arriver deux heures avant, au moins,
car il n'y a que 10 places), par exemple
le mercredi à 15h, jour où les députés
posent leurs questions au gouvernement.

L'ARC-DE-TRIOMPHE

Place Charles-de-Gaulle (75008)
Métro Georges-V ou Charles-de-Gaulle-Étoile,
RER Charles-de-Gaulle-Étoile
Tél. 01.55.37.73.77
Ouvert tous les jours de 10h à 22h30
du 1/10 au 31/03 et de 9h30 à 23h
du 1/04 au 30/09
Choisis de préférence une journée où
le temps est bien clair. Pense à emporter
une paire de jumelles si tu en as, ainsi
qu'un plan de Paris, pour essayer de
repérer les avenues.

LE SACRÉ-CŒUR

(75018)
Métro Anvers ou Abbesses
Syndicat d'initiative du Vieux Montmartre,
21, place du Tertre. Tél. 01.42.62.21.21.
Pour se renseigner sur les fêtes organisées
à Montmartre pendant l'année
(vendanges, course de lenteur, feux
d'artifices, etc.).

Dans les environs

LA HALLE SAINT-PIERRE
2, rue Ronsard (75018)
Tél. 01.42.58.72.89
Ouvert tous les jours de 10h à 18h
Ateliers de création le mercredi, le week-
end et pendant les vacances scolaires.

L'OPÉRA DE PARIS
(PALAIS-GARNIER)

Place de l'Opéra (75009)
Métro Opéra. RER Auber
Tél. 01.40.01.22.63
Visite des espaces publics (foyer, rotonde,
loge, musée, salle) tous les jours de 10h

à 17h (sauf les jours de représentation en
matinée). Des visites conférences
pour les 7-12 ans sont organisées par
la Caisse nationale des Monuments
historiques et des sites. Renseigne-toi au
01.44.61.20.00. Ateliers et animations
pour les enfants. Renseignements
au 01.40.01.19.88. Spectacle de l'École
de Danse une fois par an, au printemps.
Il faut se renseigner à l'avance pour
connaître le lieu et les dates.

Dans les environs de l'Opéra-Garnier

MUSÉE GRÉVIN
10, boulevard Montmartre (75009)
Métro Rue Montmartre
Tél. 01.47.70.85.05
Ouvert tous les jours de 13h à 17h30,
de 10h à 18h30 pendant les vacances
scolaires.

LA TOUR EIFFEL

Champ-de-Mars (75007)
Métro Trocadéro ou Bir-Hakeim,
RER Champ-de-Mars.
Tél. 01.44.11.23.23
Ouvert tous les jours de 9h30 à 23h
(de 9h à minuit de mi-juin à fin août)
Là aussi, pense à prendre jumelles et
plan de Paris... et aussi, même en été,
une petite veste : il y a toujours du vent,
au 3ᵉ étage !

ORSAY

Entrée principale : 1, rue de Bellechasse (75007)
Métro Solférino. RER C : Musée d'Orsay
Tél. 01.40.49.48.14
Ouvert du mardi au samedi de 10h à 18h,
de 9h à 18h le dimanche, nocturne le
jeudi jusqu'à 21h15. Du 20/06 au 20/09,
ouverture à 9h.
N'oublie pas de demander le plan-guide,
qui te sera bien utile pour te repérer dans

ce vaste musée. Avant de commencer
la visite, passe à l'Espace des jeunes,
au sous-sol, pour retirer un "carnet
parcours jeunes" (gratuit) : il en existe
plusieurs, qui proposent aux enfants
de 5 à 12 ans des parcours thématiques
sous forme de jeux de piste à travers les
œuvres. Des visites-jeux et des visites-
contes sont organisées pour les enfants
le mercredi et le week-end et pendant les
vacances scolaires. Renseignements et
réservations au 01.40.49.49.76.

CENTRE GEORGES-POMPIDOU
(BEAUBOURG)

Métro Rambuteau, Hôtel de Ville,
Étienne Marcel, RER Châtelet-les Halles
Le Centre Beaubourg organise de
nombreuses animations pour les enfants
de tous âges, autour de l'art moderne.
Jusqu'à la fin des travaux, le plus simple
est de se renseigner directement au
"Tipi", sorte de grande tente d'Indien
installée sur la piazza Beaubourg.
Le Tipi est ouvert les lundis, mercredis,
jeudis et vendredis de 14h à 18h,
les samedis, dimanches et jours fériés
de 12h à 18h. Fermé le mardi.

Dans les environs du Centre Beaubourg

L'ATELIER BRANCUSI
Rue Rambuteau (piazza)
Ouvert de 12h à 22h (10h à 22h week-
end et jours fériés), fermé le mardi.

CITÉ DES SCIENCES
ET DE L'INDUSTRIE

30, avenue Corentin-Cariou (75009)
Métro Porte de la Villette ou Porte de Pantin
Tél. 01.40.05.80.00
Ouvert du mardi au samedi de 10h à 18h,
le dimanche de 10h à 19h.
Des activités et animations, trop

nombreuses pour être détaillées ici, sont
proposées chaque jour. Elles sont décrites
dans le "Menu du jour", remis à l'accueil.
Tu peux aussi te renseigner sur
le 3615 Villette ou sur le site Internet
www.cite-sciences.fr

Dans les environs de la Cité des Sciences

**LE CANAL SAINT-MARTIN
ET LE CANAL DE L'OURCQ**
Deux compagnies proposent des
promenades sur les canaux : Paris-Canal
(tél. 01.42.40.96.97) et Canauxrama
(tél. 01.42.39.15.00).

LA GRANDE ARCHE
DE LA DÉFENSE

Parvis de La Défense 92040 Paris La Défense
Métro Grande Arche, RER, SNCF La Défense
Tél. 01.49.07.27.57
Ouvert tous les jours de 10h à 19h.
Fermeture des caisses à 18h.
Durée de la visite : 1h environ.

LA BIBLIOTHÈQUE
NATIONALE DE FRANCE

Quai François-Mauriac (75013)
Métro Quai de la Gare
ou Bibliothèque-Avenue de France
Tél. 01.53.79.59.59 (serveur vocal)
Visite guidée tous les jours sauf le lundi à
14h (le dimanche à 15h). Inscription
le jour même sur place, dans le hall Est.

Direction artistique : Isabelle Chemin ⭐ Photogravure : Leyre, Paris ⭐ Impression : Artegrafica Silva, Italie

Dépôt légal : septembre 1999 ⭐ ISBN 2-84096-130-X